La buena comunicación

Paidós Saberes Cotidianos

Últimos títulos publicados

23. A. Lowen, *El narcisismo*
24. N. Branden, *La psicología del amor romántico*
25. J. Lovett, *La curación del trauma infantil mediante el DRMO (EMDR)*
26. N. Branden, *La psicología de la autoestima*
27. J. O'Connor y R. Prior, *PNL y relaciones humanas*
28. L. Wright, *Gemelos*
29. B. Bettelheim, *La fortaleza vacía*
30. R. Rumiati, *Decidirse: ¿cómo escoger la opción correcta?*
31. R. A. Neimeyer, *Aprender de la pérdida*
32. A. E. Mallinger y J. de Wyze, *La obsesión del perfeccionismo*
33. C. Bizouard, *Entrena tu memoria*
34. B. Gunter, *Animales domésticos*
35. C. Zaczyk, *La agresividad*
36. E. Hoffman, *Tests psicológicos*
37. D. Luengo, *Vencer la ansiedad*
38. A. T. Beck, *Prisioneros del odio*
39. R. D. Hare, *Sin conciencia*
40. D. G. Myers, *Intuición*
41. E. Lukas, *Logoterapia*
42. G. Nardone, *Más allá del miedo*
43. E. J. Langer, *La mente creativa*
44. J. B. Miller, *Psicología de la mujer*
45. F. Salmurri, *Libertad emocional*
46. G. Nardone, *Más allá de la anorexia y la bulimia*
47. S. C. Vaughan, *La psicología del optimismo*
48. P. Mellody, *La codependencia*
49. A. Oliverio y B. Graziosi, *¿Qué es la pedofilia?*
50. A. Montagu, *El tacto*
51. D. Luengo, *La ansiedad al descubierto*
52. B. Lucas, *Entrena tu mente. Aprendizaje y desarrollo de tus habilidades en el trabajo*
53. J. M. Martínez Selva, *La psicología de la mentira*
54. V. Kast, *Cuentos de hombres y mujeres*
55. P. Ekman, *Cómo detectar mentiras*
56. J. J. Ruiz, U. E. Oberst y A. M. Quesada, *Estilos de vida*
57. J. Redorta, M. Obiols y R. Bisquerra, *Emoción y conflicto. Aprenda a manejar las emociones*
58. M. R. Ceberio, *La buena comunicación*

Marcelo R. Ceberio

La buena comunicación

Las posibilidades de la interacción humana

Cubierta de Idee

ISBN-13: 978-84-493-1910-5
ISBN-10: 84-493-1910-2
Depósito legal: B. 21.768/2006

Impreso en Novagràfik, S. L.
Vivaldi, 5 - 08110 Montcada i Reixac (Barcelona)

Impreso en España - Printed in Spain

SUMARIO

INTRODUCCIÓN

¿Seré capaz de transmitir la información que deseo transmitir? ¿Podré traducir a palabra escrita lo que se construye en imágenes y palabras en mi cerebro? ¡Vaya desafío!

El lenguaje reglado, esa estructura rica en sintaxis y semántica, hace que me pueda expresar verbalmente, aunque de manera limitada. No siempre encuentro las palabras precisas, tal vez porque en mi vocabulario no las poseo o, simplemente, porque la lengua española no las cuenta en su repertorio de términos. A veces deseo escribir o decir algo que no revela la verdadera inconmensurabilidad de lo que intento transmitir; otras no consigo tener a mano palabras que expresen la emoción y el contenido profundo de lo que deseo comunicar.

A veces no soy yo, es él, mi interlocutor. En algunas ocasiones me estimula; en otras me bloquea, me inhibe. ¿Qué hay de él? ¿Qué palabras, actitudes o micromovimientos imperceptibles hacen que me perturbe la expresión? ¿Será él el que me dificulta o el lugar donde dialogamos? Sí…, hay mucho ruido, hay gente que habla y habla y música y ruido de calle, todo superpuesto. Entiendo poco… ¡Así no se puede hablar!

En estos contextos ensordecedores, más allá del ruido ambiental que trastorna una conversación íntima, el diálogo termina siendo un verdadero diálogo de sordos entre mi interlocutor y yo. Entonces apelo a mi otro lenguaje, aquel de la gestualidad, de las posturas de mi cuerpo, al del movimiento articulado. Pero debo reconocer que este lenguaje no es la gran estrella. Ha perdido mucho brillo frente al protagonismo del lenguaje verbal, que ha crecido eclipsando al lenguaje paraverbal.

Nuestro cuerpo posee una infinita gama de movimientos que van desde los más expresos e intencionados hasta los más sutiles e imperceptibles. Estos últimos resultan los más peligrosos, ya que pueden ser el origen de un interminable efecto mariposa.[1] Es decir, se puede construir una reacción en cadena que parte de gestos imperceptibles a macroacciones y, por lo tanto, a interacciones que involucran a numerosos miembros. Y esta reacción, también llamada *efecto dominó* (tal cual caerían las fichas del conocido juego), se desarrolla en el tiempo y puede instaurarse a lo largo de años. Un padre que cada vez que su hijo se equivoca le indica la corrección con un gesto descalificatorio generará en el niño sentimientos de ineptitud e inutilidad. La repetición de este tipo de comportamiento creará un chico apocado, ensimismado e inseguro.

Este tipo de características se acentuarán en la escuela, cuando el chico comience a manifestar dificulta-

1. El efecto mariposa será explicado a lo largo de este libro.

des de aprendizaje; las maestras citarán a los padres para comunicarles que su hijo es el más lerdo de la clase y la crueldad de los compañeros hará que se transforme en el tonto. *Tonto* y *lerdo* son los dos descalificativos con los que cargará toda la vida y que acentuarán la desvalorización que el niño lleva a cuestas desde sus primeros momentos.

Ni que decir tiene en su adolescencia en la escuela secundaria. Estamos en presencia de un joven miedoso, aislado y que se integra en grupos marginales (al vetársele la entrada a grupos centrales), donde encuentra una identidad y un reconocimiento. Esos grupos constituyen el caldo de cultivo de lo que en numerosas ocasiones sucede en la marginalidad: delincuencia y drogadicción. *Voilà*, aquellas actitudes del padre, a lo largo del tiempo en una reacción concatenada, han cimentado un futuro toxicómano.

Toda esta cadena se podría haber interrumpido, por ejemplo, mediante una sabia consulta a un profesional que, idóneamente, hubiera intervenido intentando cambiar el rumbo de este circuito. O con la intervención de una tía, un padrino, alguien que afectivamente se hubiese acercado para expresar amor y valorar al chico, salvando el agujero afectivo que han generado los padres.

No somos conscientes de la importancia de la comunicación, de la importancia de comunicarse de manera clara, evitando malentendidos y confusiones. Hasta podríamos afirmar que somos poco responsables, es decir, no damos crédito al impacto de nuestras palabras, gestos o actitudes. No somos conscientes del efecto que provocamos y del efecto que, a su vez, nos causa la comunicación con el otro. También somos escasamente respetuosos con la respuesta del otro. Muchas veces no lo escuchamos, damos preeminencia a nuestra propia respuesta que se superpone a la del interlocutor y, cuando respondemos, contestamos a nuestro propio imaginario, creando así parte de la génesis de futuros embrollos comunicacionales.

«Profecías de autocumplimiento», ésta es la denominación científica que recibe la construcción de una realidad a partir de un supuesto ideacional. Y ése es el resultado de no metacomunicar y de dar por entendida la información que se intentó transmitir. Si anuncio y difundo que los tomates aumentarán de precio, automáticamente genero el deseo en la gente de comprar tomates con la finalidad de ahorrar. En una rápida escalada, los tomates comenzarán a escasear y los pocos kilos que queden serán más codiciados y su valor se incrementará: ¡hemos construido una realidad a partir de una suposición!

Otro ejemplo del mismo tenor cuenta que si se realiza una prueba y se anuncia en la portada de los grandes diarios o en los informativos matutinos que no habrá combustible, en poco tiempo se observarán colas de automóviles en las estaciones de servicio con la intención de llenar el depósito. Rápidamente la noticia se difunde también mediante el rumor. A la gente que no se enteró por las noticias, las colas le despertarán curiosidad, y frente a la alternativa de que su automóvil se quede sin combustible, pasará a formar parte del largo desfile de vehículos que tratan de llenar el depósito. Las gasolineras no están preparadas para recibir tantos automóviles ni para que todos carguen el depósito completo. Es fácil entonces que sus propios depósitos se agoten y que comiencen a aparecer los carteles de «No hay gasolina». Otra vez la profecía.

Más allá de estos alevosos ejemplos, las profecías que se autocumplen constituyen un verdadero fenómeno sociológico que no sólo se observa en el ámbito social, sino que también puede transformar la economía de un país, aunque sea parcialmente, o ser uno de los factores que coadyuvan al cambio en esa área. También la elaboración de suposiciones en los diálogos humanos son otras de las fuentes de confusión y alta complicación. De la misma manera, la gente, cuando escucha, a veces interrumpe abruptamente el discurso del interlocutor dando por entendido lo que falta. Esto no sólo genera malentendidos, sino que el *partenaire* comunicacional, desconcertado por la interrupción, suele sentirse no respetado y, de no aclararse, la situación puede terminar en un conflicto.

Otro fenómeno común son los sobreentendidos: las personas que no dicen algo —«Tú ya sabes», «Tú me entiendes»— porque creen que el interlocutor ya sabe lo que él piensa y va a comunicarle. Otro de los episodios que se traducen en confusión son las diferencias de énfasis. Cuando transmito o cuento una escena o realizo una descripción, la otra persona coloca el énfasis en un punto diferente al que deseamos transmitir, por ejemplo: «¡Qué hermoso es el BMW gris metalizado!»; nuestro interlocutor comienza entonces a hablar de las virtudes mecánicas del automóvil y nos llena de información técnica que a nosotros nos interesa poco o nada, puesto que lo que intentábamos comunicar era nuestro gusto por la tonalidad de la pintura.

O cuando tras varias llamadas telefónicas no recibimos respuesta, nos cuesta aceptar, o no deseamos enterarnos, o nos resistimos a entender que *el silencio es una respuesta en sí misma,* y en este caso (salvo mal funcionamiento de la empresa telefónica) implica que para el otro no poseemos la suficiente relevancia como para devolvernos la llamada.

Todos éstos son algunos de los ejemplos que muestran las lamentables consecuencias de comunicar de manera torpe, superficial o poco concienzuda. Estamos habituados a trasladar la culpa al otro. Una pareja discute y ambos apuntan con rudeza y tiran al corazón del *partenaire.* Hablan de por qué el otro dice lo que dice o hace lo que hace. Cada uno juega a ser psicólogo y analiza al otro buscando orígenes de su reacción en su historia, pero se está muy lejos de ver los motivos en la propia conducta. O sea, *qué piensas tú que he hecho yo para que tú te comportes así...* Ese giro implica encontrarle un nuevo sentido a las actitudes del *partenaire.* Se debe asumir la colaboración en la respuesta del interlocutor, es decir, una perfecta coproducción con porcentajes diferentes pero sociedad al fin y al cabo.

Y es que *toda conducta es comunicación,* ésta es la gran afirmación de los investigadores sistémicos en la década de 1960. Aunque no deja de ser una definición entender también que la comunicación es afecto. No sólo es introducción de información, no solamente es acción e interacción. La comunicación humana es *emoción.* Cualquier modulación, tonalidad, cadencia, vehemencia, gestualidad con que se reviste un discurso está mediatizada en parte por los sentimientos. Además, una de las vías más poderosas para mostrar afecto es mediante la comunicación oral y gestual. Alguien dice «Te quiero» y acaricia: utiliza dos vías de manifestación afectiva. Entonces, el amor se siente y se expresa por múltiples canales, tanto en las relaciones más íntimas, cercanas y familiares como en las más distantes: siempre hace falta una cuota de emocionalidad y afecto para llevar adelante una comunicación efectiva.

El texto que el lector tiene ante sus ojos, como se deduce de esta introducción, habla de la comunicación humana. Como tal, expone una descripción de las características del proceso comunicacional, proceso que puede consolidar una comunicación tanto funcional como disfuncional lastrada por problemas, embrollos y confusiones.

En el capítulo 1, «Cuando dos personas se relacionan», se explican aspectos de la comunicación de manera introductoria. Características, supuestos, categorizaciones, expresiones, trabas y obstáculos que impiden la comunicación libre y fluida, son algunos de los puntos que se observan en este apartado y que plantean cuestiones a las que se intentará responder a lo largo del libro.

En el capítulo 2, «El universo de la comunicación humana», se explican los conceptos básicos que definieron los comunicacionalistas norteamericanos como base de su modelo sistémico: axiomas exploratorios de la comunicación, posibles respuestas en la interacción, la famosa paradoja del doble mensaje, más precisamente llamada «doble vínculo». Este capítulo nos lleva a explicar los dos lenguajes de la comunicación.

«Cuando la palabra dice: el lenguaje verbal» hace un análisis minucioso sobre la palabra, concretamente sobre el signo lingüístico. También se revisa el lenguaje indicativo que, como lenguaje de la explicación, muestra la frecuencia abrumadora con que se usa el término «porque», aunque también se observa cómo en la comunicación humana el lenguaje imperativo es utilizado más de lo que imaginamos. Por último, en este capítulo se diferencian todas las vías de entrada y salida de información y su correspondencia con los cinco sentidos. Todos estos análisis invitan a reflexionar sobre cómo utilizamos nuestra lengua como vía de comunicación.

Pero este desarrollo no queda varado en el lenguaje verbal. El texto muestra en el capítulo 4, «Cuando el cuerpo habla: el lenguaje paraverbal», la relevancia del lenguaje analógico, estudiando el mundo de la gestualidad, desde aquellos gestos casi imperceptibles hasta los que resultan manifiestamente intencionados. Es curioso cómo tales gestos pueden constituirse en fuente de confusión cuando se malinterpretan o se codifican de manera errónea. Pero más curioso resulta descubrir que en la comunicación humana existe una distancia óptima, un espacio entre emisor y receptor que facilita la comunicación. Vista y palabra aunados, entonces, posibilitan que se afiance el mensaje que circula entre interlocutores, pero para ello se requiere «una distancia».

A modo de conclusión, en el capítulo 5, «Complejidades y complicaciones comunicacionales», figuran dos cuadros de alta complejidad que describen el desenvolvimiento de la comunicación humana. El primero muestra los aspectos verbales propiamente dichos, mientras que el segundo completa los elementos paraverbales. Se trata de un cierre desmitificador de supuestos comunicacionales que muestra con qué facilidad puede transformarse un diálogo simple en complicación.

Por último, bajo el título «Condiciones básicas para la buena comunicación» se sintetizan una serie de propuestas que, en cuanto consejos útiles, constituyen pequeñas fórmulas para una comunicación clara con el objetivo de evitar futuras confusiones.

De lectura ágil y clara, *La buena comunicación* es un libro que explica la comunicación humana pero, a la vez, trata de reflexionar acerca de ella. Si el lector comprende lo aquí expuesto, será consciente de su *responsabilidad* en el proceso comunicacional, de hasta qué punto influye mediante la comunicación. Respetará más la palabra del otro y entenderá qué implica ser libre en ese maravilloso juego que se despliega cuando dos personas comienzan a comunicarse.

Capítulo 1

CUANDO DOS PERSONAS SE RELACIONAN

Resulta imposible y hasta ingenuo entender el fenómeno de la comunicación como un hecho simple. En el marco de las interacciones humanas, a la hora de escuchar y responder, o de explicar motivos, causas, orígenes de lo sucedido, o simplemente de entender la comunicación del interlocutor, se cae en reduccionismos (o superficialidades) que pierden de vista más de un factor que dé cuenta de por qué y para qué alguien dijo o hizo algo.

De la misma manera sucede cuando se debe construir una hipótesis, es decir, toda una estructura conceptual que revele causas o proporcione explicaciones que clarifiquen un hecho comunicacional. Y ni que decir tiene cuando priman las emociones y afectos en la relación: cuando prevalece este plano se tiende a observar poco analíticamente el fenómeno y a proceder más cercanamente por impulsos que a dar una respuesta racional o lógica.

La comunicación obedece a órdenes de alta complejidad, donde intervienen una serie de variables que pocas veces son tomadas en cuenta cuando tal complejidad se transforma en complicación. Por ejemplo, algo tan ínfimo, o si se quiere imperceptible, como guiñar un ojo, torcer la boca, arrugar la frente o cualquier actitud análoga, puede constituir el detonante de un *efecto dominó*, en el que cada una de las piezas del juego relacional se derrumba de manera arrolladora.

A los seres humanos nos es difícil aceptar que somos partícipes y cómplices de un gran entramado social —*la ecología humana*— que, a su vez, lo encuadra en diferentes sistemas: familia, grupos de trabajo, de estudio, clubes, asociaciones, etc. Suele decirse que *integramos una sociedad* o que *somos parte de una red social*, pero esto queda sumido en un formulismo verbal. Nos consideramos personas independientes sin responsabilizarnos en la práctica de la interdependencia que implica participar del entramado de la comunicación social.

De acuerdo con la psicología clásica, sobre la base teórica del viejo concepto de identidad, los seres humanos creen que son y actúan de manera idéntica en los diversos sistemas: se es la misma persona en la casa, en el trabajo, en el estudio, en la amistad, etc. Y esto implica negar que las conductas de los integrantes de un sistema se influencian recíprocamente. Se pierde de vista, entonces, con quién intento comunicarme, quién es el otro para mí, quién soy para el otro, en síntesis, quién soy yo.

Quién es el otro para mí y quién soy yo para el otro marca una pauta relacional mediante los roles y funciones que se ejercen en un sistema. No nos comunicamos de la misma manera ni con el mismo estilo cuando somos padres, cónyuges, empleados o amigos, simplemente porque el otro también posee historia, características de personalidad y funciones diferentes dentro del circuito comunicacional que compartimos. Cada relación nos invita a participar en alguna de nuestras múltiples facetas: somos temerosos e inseguros en ciertas interacciones, mientras que en otras parecemos maestros dando consejos. Somos desprendidos y bondadosos en algunas, aunque envidiosos y destructivos en otras. Pero ¿qué hace el otro para que yo reaccione de una manera determinada? Resulta lícito, entonces, preguntarse: ¿qué hago yo para que el otro muestre tales actitudes respecto a mí?

El ser humano, en esta perspectiva relacional, parece asemejarse a un dado que, como todo cubo, tiene diferentes caras. Pero en la jugada, la aparición de una de las caras del dado no es azarosa: dependerá de diversas variables, tanto del dado (su peso, calidad de superficie, etc.) como de la superficie donde es arrojado y de la mano del tirador (su agilidad, habilidad, soltura, etc.); aunque más acertadamente es comprender todos estos factores como un todo armónico y estructurado que se interrelaciona.

Estos cuestionamientos obligan a pensar las conductas de manera recursiva y circular, más aún cuando la interacción no es entre un ser humano y un objeto, sino con otro ser humano. Por lo general, una situación es analizada de manera unidireccional y lineal. Observamos y hasta criticamos las acciones de nuestro interlocutor sin hacer la más mínima referencia a nuestra *colaboración* en dichas acciones, o sea, cómo hemos influido con nuestros comportamientos en nuestro *partenaire* comunicacional.

Las preguntas, de acuerdo con una epistemología causal y lineal, con frecuencia se focalizan en la búsqueda de los orígenes —el *porqué*— a la hora de descubrir las intenciones inconscientes individuales de la persona, sin centrarse en el *qué* o el *para qué* de las acciones humanas, preguntas que nos remitirían al circuito comunicacional en el que estamos inmersos. Por lo tanto, nos convertimos en expertos en atribuir culpas, desencadenando tramposas discusiones bizantinas en un juego sin fin. Es así como se segmenta y polariza la secuencia de comunicación en frases elocuentes como: «Tú me has hecho hacer...», «La culpa es tuya porque...», «Porque tú...», «Eres como tu padre», «Porque actuabas igual en tu relación anterior...», etc. El «Tú...» (y la consecuente recriminación) asegura el hecho de no involucrarse en el circuito de acciones recíprocas. Las personas se parapetan como meros espectadores sin asumir ningún tipo de protagonismo cuando, en última instancia, *no existen víctimas ni verdugos, todos somos parte del juego comunicacional en el que estamos inmersos y al cual nos sometemos.*

Pero este análisis no queda varado aquí. Entre otras cosas, el contexto —el dónde, en qué momento y situación se dice lo que se dice o se hace lo que se hace— también se pierde de vista. El contexto es una gran matriz de significados que otorga sentido a las acciones humanas. Es común que en los diálogos humanos se aísle una frase del discurso descontextualizándola del eje temático, y se la utilice como legítima defensa o como bastión de un análisis fiscalizante, o como elemento para imputarle algo al interlocutor que se ha convertido en rival. Tal vez esa frase cobraría otro sentido si se la considera como parte integrante del discurso del que procede, que es expresado en un lugar y un momento determinado.

Cuando se habla de lenguaje, por lo general, se lo asocia con la palabra. Pocas son las oportunidades en que se tiene en cuenta lo que se expresa a través de los gestos o, por lo menos, se les concede menos importancia. Por lo general, la comunicación humana se entiende en dos acciones básicas: hablar y escuchar. No somos conscientes del grado de transmisibilidad que posee el lenguaje paraverbal.

Por esta razón, la relevancia que se otorga al lenguaje verbal frente al gestual constituye una de las mayores fuentes de conflictos comunicacionales. Como veremos más adelante, mientras estamos pendientes de *lo que se dice*, no observamos el *cómo se dice*. Éste es uno de los clásicos malentendidos que se generan por una alteración o equívoco de niveles lógicos. Esto es, se confunde contenido con relación o se interpretan expresiones metafóricas como literalidades, alteración que ya observaron Gregory Bateson y su grupo en el Hospital de Veteranos de Menlo Park (1972) cuando sentaron las bases del modelo sistémico en psicoterapia.[1]

1. Los primeros esbozos del modelo sistémico en psicoterapia datan de finales de la década de 1950 y principios de la de 1960 y son consecuencia de la interacción de dos grupos liderados por figuras de la talla de Gregory Bateson y Donald D. Jackson que, impregnados por las ideas de las nuevas teorías de la información y la comunicación, conformaron un modelo de estudio de las relaciones humanas. Las bases teóricas en las que se apoyaron para desarrollar lo que posteriormente se denominó *pragmática de la comunicación* fueron la cibernética, de la mano de Norman Wiener (1954), y la teoría general de sistemas de Von Bertalanffy (1968), teorías que tomaron fuerza en esa época. Son los conceptos dependientes de estos modelos de pensamiento los que son trasladados al plano de los vínculos humanos creando una nueva vertiente epistemológica.

La posguerra abría nuevos campos de estudio debido a la necesidad de tratamientos de urgencia para situaciones traumáticas. El caos que implicó la Segunda Guerra Mundial se tradujo en diferentes tipos de conflictos personales, familiares, sociales, diversas patologías y clases de problemas. Estas secuelas llevaron a que se conformaran trabajos terapéuticos de acción rápida y eficaz. El movimiento de lo que se llamó Terapia Familiar surge cuando comienzan a ser observadas familias en vivo, en su propio lugar de interacción, en su seno, y no —como prescribía la tradición terapéutica— en el consultorio.

El lenguaje de los movimientos corporales y de la gestualidad es un universo de transmisión de mensajes que no siempre son decodificados —o mejor dicho, codificados—[2] de manera correcta. Más aún, son un mayor blanco de proyecciones, por parte del interlocutor, que el lenguaje verbal. Es decir: si la palabra no figura como elemento concreto de envío del mensaje, un gesto o un movimiento pueden parecer ambivalentes y ser interpretados como tales frente a las pautas del mapa del interlocutor. La sistematización de un vínculo a través del tiempo, la cotidianidad, el hábito de *ver* al otro, es lo que permite codificar los gestos de manera más clara, en tanto se ahonda y profundiza en el conocimiento de los códigos relacionales de los diversos receptores y emisores.

Sin embargo, es importante no confiar en extremo en el conocimiento de los códigos cognitivos o emocionales del *partenaire.* Cuando se confía demasiado en que se codifica precisamente lo que intentó transmitir el compañero, se procede de manera asertiva y no se da

2. Si decimos que el interlocutor «decodifica» el mensaje que se le envía, se entiende que «descifra» lo que su compañero comunicacional intentó transmitirle. Lo que se cree descifrar es el *contenido* del mensaje, y este proceso se establece desde el mapa conceptual del interlocutor. Un mapa que nos informa sobre la historia personal, las propias creencias y valores, pautas familiares, modelos disciplinares, etc., y que sesga y recorta el envío comunicacional y su contenido. Más acertado, entonces, es entender que la estructura cognitiva de cada uno de los interlocutores construye sus mensajes. Por tanto «codifica», es decir, otorga sentido al mensaje. Un sentido que puede acercarse a lo que el otro ha tratado de transmitir, tal como sucede en la interpretación de un libro o un filme: más allá del argumento que el autor o el director trató de comunicar, el lector o el espectador es el que construye la obra. En tal caso es una coconstrucción entre ambos.

lugar a la pregunta con intención de metacomunicar.[3] Por tanto, priman los supuestos y éstos abren un claro juego de profecías de autocumplimiento que, rápidamente, pueden llevar a la catástrofe. Los supuestos, en la comunicación humana, son uno de los principales elementos que pueden obstaculizar y hundir en el territorio de la confusión a los interlocutores.

La suposición no es ni más ni menos que una construcción ideacional que lleva a categorizar o etiquetar las acciones del otro. Es ésta la que elabora profecías que autodeterminan realidades y que no permiten la confrontación acerca de qué trató de significar el otro con su actitud. Por ejemplo, si se supone que el gesto de nuestro interlocutor es de aburrimiento frente a nuestro discurso, se actuará de alguna manera especial para lograr agradarle, tratar de que se distraiga o para despertar su interés en él. En ninguna de estas posibilidades existe la espontaneidad en el diálogo, estará lejos de ser una conversación distendida, y cuanto más nos esforcemos por parecer simpáticos y entretenidos, mayor riesgo se correrá de transformar la situación en tensa y desagradable. Es posible que el resultado sea una ruptura vertiginosa del diálogo, con lo cual se podrá confirmar el supuesto inicial, atribuyendo como causa de la interrupción el aburrimiento del otro.

De la misma manera sucede con las personas que tienen un bajo nivel de autoestima. Transitan por un mundo de relaciones donde se posicionan asimétrica-

3. La *metacomunicación* consiste en comunicar acerca de lo que se comunicó, es decir, hablar acerca de lo que se habló con fines aclaratorios y para evitar malentendidos. De esta manera, el mensaje enviado será codificado de manera correcta.

mente por debajo de sus interlocutores, construyendo fantasías autodescalificantes sobre lo que los demás piensan de ellos. Se muestran inseguros y débiles, delimitando un perímetro de acciones que tienen por finalidad la búsqueda de afecto y reconocimiento. Así, tratan de encontrar afanosamente su valoración en el exterior cuando, en realidad (más allá de que a todos los humanos les encanta ser apreciados y valorados), el proceso es inverso: ¿cómo es posible dejar que los otros los valoren y confirmen si ellos mismos se encuentran tan alejados de su propia valoración? Este mecanismo termina por arrojar paradojas en las interacciones. Desde el supuesto se intenta hacer cosas para ser reconocido por el otro; cuanto más se ejecutan dichas acciones, más dependiente se torna el sujeto en la relación y, por lo tanto, mayor es la inseguridad que aparece en el vínculo; y la consiguiente categorización de *inseguro o débil* no favorece la autoestima, que era el objetivo inicial.

Paradójicamente, a pesar de que puede resultar simple preguntarle directamente al interlocutor por el significado de su acción, las personas *optan* por aferrarse a sus supuestos, con lo cual su respuesta se basará en su propio imaginario y no en la intencionalidad del interlocutor. Se complica así la complejidad de las interacciones. El supuesto, entonces, es una construcción ideacional o cognitiva que se deriva del desarrollo de una acción en el plano interaccional o pragmático, y así se constituyen sendos circuitos emparentados con lo caótico.

Pero la comunicación se entorpecerá aún más si se categoriza la actitud del otro en forma lineal, analizando sus comportamientos sin tener en cuenta que nuestras conductas han creado en él ciertas reacciones, o sea, sin involucrarnos en el sistema y sin preguntarnos acerca de qué he hecho yo para que el otro me responda así, aislando la respuesta de nuestro interlocutor, como si nosotros no estuviésemos en el campo de la interacción. La respuesta que surge será la correspondiente a lo que suponemos que el otro pensó o sintió, por lo tanto la respuesta es autorreferencial: se contestará al mensaje que uno mismo elaboró.

Entonces, en las relaciones humanas los supuestos darían lugar a tres tipos de intervenciones:

1. La primera es una forma que desplaza la categorización que uno establece para dar lugar a la pregunta abierta acerca de la descripción de lo que se muestra analógica o verbalmente: «¿Qué tratas de expresar con este gesto?», «¿Qué tratas de decirme?».
2. En la segunda se trata de preguntar sobre la categorización que uno desarrolla sobre el interlocutor, o sea, sobre el supuesto propiamente dicho: «¿Te molesta que discutamos esto?», «¿Tienes sueño?» (frente a un bostezo), «¿Te aburro?». Si bien se pone en juego la suposición, se metacomunica en forma de pregunta, por lo tanto equivale a decir: «Supongo que estás molesto, ¿es así?», «Supongo que te aburro», con lo cual se podrá confirmar o modificar la categorización previa.
3. La tercera forma es la caótica. En este caso se actúa como si nuestro supuesto fuese el válido, es decir, se tiene la certeza de que lo que uno piensa que el otro siente es lo correcto, con lo cual no existe la confrontación del metacomunicar y se opera en la pragmática de acuerdo a la propia atribución.

En conclusión, para que no primen las propias ideas acerca de la comunicación del *partenaire* y a fin de codificar de manera correcta el mensaje, es importante *preguntar en vez de suponer.*

El mundo de la comunicación, y más aún el del lenguaje analógico, posee un alto grado de complejidad, hasta tal punto que la diferencia de interpretación entre lo que se intenta transmitir y lo que se capta sienta las bases de las disfuncionalidades relacionales (problemas vinculares de todo tipo, conflictos de pareja, entre padres e hijos, entre compañeros de trabajo, etc.) que transforman esa alta *complejidad* del acto comunicativo en *complicación.*

Y es en el lenguaje gestual donde se es más proclive a depositar supuestos que se basan en categorizaciones. Las categorías son uno de los elementos cognitivos (que encierran atribuciones de significados) más poderosos con que nos conducimos interaccionalmente con el mundo. Vivimos a través de categorías: distinguimos, describimos, adjetivamos, establecemos diferencias, comparamos, etc., mediante categorías. Razón por la cual, cuando se observa un gesto, lo clasificamos en una tipología y pocas veces lo describimos en su forma pura. Alguien arruga la frente y el otro codifica que está enojado, siente dolor de cabeza, está aburrido, le duelen los ojos, está cansado, etc. Pero nadie pregunta: «¿Por qué arrugas la frente?», que es una formulación que prescinde de categorías. La situación fácilmente podrá derivar en un problema, si el interlocutor actúa en función del supuesto, es decir, en función de la categoría que proyectó sobre el gesto del compañero. Correrá el riesgo de convertir su categorización en realidad. Este paso de lo cognitivo a lo pragmático, del pensamiento a la acción, conlleva grandes riesgos si no se metacomunica.

No obstante, también es cierto que puede darse ambivalencia en el lenguaje verbal, aunque no es la sintaxis del discurso la que le confiere tal ambivalencia, sino la cadencia con que se la reviste. Por ejemplo, la expresión «Bárbaro» puede ser entendida como denominación de un ser primitivo y animal, si no se le adjuntan los signos de admiración y cierta cadencia —«¡Bárbaro!»—, de modo que entonces es una expresión sinónima de «¡Fantástico!». Para transmitir ironía, es necesario formular la frase con una cierta tonalidad. Si digo «Realmente lo has hecho muy bien» y no le doy la cadencia irónica o sarcástica adecuada, acompañándola de una peculiar gestualidad, tal expresión constituirá un elogio y no una descalificación.

Como se puede observar, resulta difícil transmitir por medio de la palabra escrita toda la variedad de elocuencias afectivas o expresiones emocionales, que se manifiestan con mayor precisión en el lenguaje paraverbal gracias a la gestualidad, la postura corporal o la tonalidad. Los signos de exclamación, por ejemplo, permiten reproducir emociones, pero no logran abarcar sus facetas cualitativas. Escribimos «¡Bárbaro!» entre signos de admiración, pero ello no implica que tal expresión no sea entendida bajo la significación de primitivo y animal, por lo que hace falta aclararlo.

Todas estas descripciones acerca de la comunicación humana poseen un fundamento teórico. Este fundamento se refiere a dos modelos: la teoría general de sistemas y la cibernética, que dan sustento a lo que se llamó *pragmática de la comunicación humana*, puesto que, para los investigadores de esta disciplina, toda conducta es comunicación y como tal se desarrolla en el ámbito de las relaciones. Es decir, todo comportamiento, palabra, gesto, acción, que tiene lugar en un contexto *es comunicación*. Por tal razón el primero de los axiomas de la comunicación humana es que *es imposible no comunicarse*.

Capítulo 2

EL UNIVERSO DE LA COMUNICACIÓN HUMANA

La comunicación es esencial para la vida familiar y social, y por ello fue estudiada minuciosamente, estudios que han sido expuestos en diferentes textos[1] y que han desarrollado teorías vigentes incluso en nuestros días. La investigación sobre la comunicación podría subdividirse en tres áreas: *sintáctica*, *semántica* y *pragmática*, las cuales permiten estudiar la *semiótica*, que es la teoría general de los signos y los lenguajes.

1. El área sintáctica explora los problemas que se derivan de la transmisión de información. Su interés se focaliza en los códigos, las reglas de puntua-

1. Textos como *Comunicación: la matriz social de la psiquiatría* (Bateson y Ruesch, 1984), *Pasos hacia una ecología de la mente* (Bateson, 1972) o la obra cumbre de P. Watzlawick, J. Beavin y D. Jackson, *Teoría de la comunicación humana* (1967). Este último sistematiza las ideas del grupo de Bateson, en el que se desarrollan tanto los estudios acerca del lenguaje y la comunicación como las atribuciones de significado con que se reviste a las palabras. Se profundiza en el análisis de los tipos lógicos y el trazado de distinciones en la percepción.

ción, los ruidos en cuanto factores perturbadores de la comunicación, las redundancias, los canales de comunicación, la capacidad de transmisión de las personas, etc. Aquí no interesa el significado de los mensajes, ya que ésa es la preocupación de la semántica.

2. En el estudio del área semántica se observa que toda comunicación presupone un acuerdo en los significados que le damos a nuestras palabras, y si no existe claridad al respecto se metacomunicará, o sea, se preguntará acerca de qué es lo que se quiso transmitir.
3. La pragmática, por su parte, analiza cómo la comunicación afecta a la conducta, ya que todo comportamiento humano es en sí mismo comunicación.

En síntesis, mi mensaje está regido por las reglas de mi lenguaje. Digo «Hola, ¿cómo estás?» con ciertas pautas de puntuación y estructura que me impone mi lengua. Veré de qué manera logro transmitirlo con la menor interferencia y de modo que mi interlocutor entienda qué es lo que significo con lo que expreso. Pero, además, no es sólo mi aparato de fonación el que transmite, sino todo mi cuerpo: mi gestualidad, mi postura corporal y mis acciones expresan más que las palabras mismas.

El grupo pionero en los estudios de comunicación[2] desarrolla una serie de axiomas exploratorios de la comunicación humana que nos proporcionan algunos

2. El grupo de Palo Alto está formado por un grupo de investigadores que pertenecían al MRI. El Mental Research Institute nace por iniciativa de Donald Jackson en 1959, como resultado del intercambio de investigaciones sobre comunicación realizado con el grupo de Bateson. El famoso antropólogo recibió una beca de la Rockefeller Foundation para estudiar comuni-

conceptos introductorios fundamentales para el estudio de la comunicación. Estos principios básicos desmitifican algunos dogmas acerca de por qué y cómo nos comunicamos.

El primero de ellos establece que *es imposible no comunicarse.* Si todo comportamiento es comunicación, en un proceso de interacción, las actitudes, las formas y los estilos del emisor pautan indefectiblemente la respuesta del receptor, y viceversa. De ahí que hasta los mismos silencios comuniquen: el hecho de no hablar o de aislarse sugiere una respuesta. En términos extremos: una persona inmóvil, petrificada y en silencio influye indefectiblemente en su *partenaire.*

Por otra parte, la comunicación no sólo transmite un contenido determinado, sino que la forma en que se expresa —sea la expresión mímica, el tono de voz, etc.— delimita o define el tipo de relación. Por lo tanto, *la comunicación tiene un aspecto de contenido y otro de relación,* y éste es el segundo de los axiomas. El primer aspecto transmite datos, es decir, la información que se trata de enviar, mientras que el segundo explicita *cómo*

---

cación, en particular las paradojas y su relación con los distintos niveles de abstracción de comunicación y clasificación. El que posteriormente se llamó grupo de Bateson estaba constituido por figuras de la talla de John Weakland, Jay Haley y William Fry, quienes comenzaron a trabajar en el Hospital de Veteranos de Menlo Park. El MRI se fundó en 1959, como una rama de la Fundación de Investigación Médica de Palo Alto. Se creó con el fin de realizar una investigación sobre esquizofrenia. El grupo piloto estaba formado por el mencionado Jackson, Jules Riskin y Virginia Satir, a los que después se unieron Paul Watzlawick, Richard Fisch y Arthur Bodin.

Los dos grupos liderados por Bateson y Jackson intercambiaban información y cooperaban continuamente, pero nunca se fusionaron. Más tarde venció la beca que financiaba al grupo de Bateson y el antropólogo se marchó del país para realizar otras investigaciones; en ese momento es cuando Haley y Weakland se unen al grupo del MRI.

debe entenderse dicha comunicación. En este sentido, el aspecto relacional es, en sí mismo, comunicación. Por ejemplo, dos personas que se caractericen por una gran complementariedad y armonía en su relación posiblemente expongan puntos antagónicos acerca de un tema, pero es tal la concordancia relacional que parece que estuviesen de acuerdo. Otros, cuyos conflictos relacionales hacen que continuamemente se sumerjan en disputas, rivalidades y enfados, hablarán de lo mismo, inclusive bajo el mismo punto de vista, pero terminarán discutiendo.

En un sentido circular, toda conducta perteneciente a una secuencia de conductas es un estímulo que produce una reacción, y esta reacción es un estímulo para una próxima reacción, y así, interaccionalmente, toda acción produce un efecto que genera una reacción en cadena. Al mismo tiempo, toda conducta es causada por algo, pero a la vez es causa de algo. En el modelo sistémico, base teórica de este análisis, esta cadena se denomina *efecto mariposa*. Este fenómeno explica cómo todos los sucesos del universo se encuentran concatenados causalmente: el batido de las alas de una mariposa en la selva tropical puede desencadenar un huracán en el sudeste asiático. Pero no hace falta recurrir a ejemplos del universo; basta pensar que un pequeño gesto puede producir un arrollador efecto dominó en los comportamientos.

La comunicación, en este sentido, puede ser definida como una serie ininterrumpida de intercambios; por tal razón, el tercer axioma señala que siempre realizamos una *puntuación de la secuencia de hechos*. Somos partícipes de una situación, vemos una película, nos cuentan un cuento: siempre elaboramos una versión de lo observado. Por ejemplo, la historia no es el pasado, es simplemente una versión, un cuento acerca del pasado. Cuando narramos o construimos una hipótesis, estamos organizando lo que observamos; es evidente que es una operación arbitraria y, como tal, puede dar lugar a conflictos en la relación. Por ejemplo, una madre se queja de que su hijo no la escucha y, a su vez, el hijo dice estar cansado de oír las quejas de su madre; o la esposa que critica a su marido aduciendo que es poco comunicativo, que no habla; o el marido, por su parte, que imputa a su mujer que no para de hablar. (¿Quién tiene razón? Solamente son problemas de puntuación...)

En la interacción, los mensajes pueden ser transmitidos a través de dos modalidades comunicativas: el *lenguaje verbal* y el *analógico*. Una persona puede transmitir algo a través de la palabra en forma directa. Ésta es la forma verbal propiamente dicha. La segunda posibilidad —el lenguaje analógico— es la forma de expresarse a través de algún movimiento, posturas corporales, tonos de voz, ritmos, cadencias, etc.

El lenguaje verbal transmite noticias, información, permite intercambiar comentarios sobre objetos y transmitir conocimiento de una época a otra. Es arbitrario, admite mentiras y tiene un alto grado de complejidad y abstracción. En cambio, el analógico manifiesta lo que en el lenguaje verbal está limitado. Transmite sentimientos, es espontáneo, por tanto resulta difícil mentir y presenta un bajo grado de abstracción.

El último axioma muestra dos aspectos fundamentales en la relación entre dos personas, *la simetría* y *la complementariedad*, basados en la igualdad o en la diferencia. Una relación es considerada *simétrica* cuando dos personas se mueven en el mismo plano en condiciones de igualdad. Pero ello no implica el respeto del otro. Cada uno de los integrantes intenta criticar o tomar una iniciativa defendiendo su posición como válida, y como las interacciones para que puedan desarrollarse en *armonía* necesitan ser complementarias, el intercambio acaba siendo dificultoso.[3] Aquí no se observa una posición superior complementada por una inferior que permite una adaptación y una buena comunicación, como en la relación padre-hijo, maestra-alumno, vendedor-comprador, etc.; por ello, una comunicación extremadamente simétrica —competitiva, agresiva— puede derivar con facilidad en una escalada de violencia.

En cambio, en la relación *complementaria* las dos personas se encuentran en condiciones de desigualdad y aceptan sus diferencias. Es la desigualdad la que permite el complemento en la interacción, más allá de que ciertas complementariedades rígidas convierten al interlocutor que se halla en una posición inferior en blanco de descalificaciones, como en el caso de la esposa *sumisa* que es desvalorizada por su marido *estrella.*

Si analizamos el mensaje comunicativo, siempre existe una respuesta tanto en el plano del contenido como en el de la relación. De esta manera, cabe destacar cuatro tipos de respuestas posibles:

3. Un ejemplo representativo de una relación simétrica que desencadena una escalada de conflictos sin fin (el fin es la muerte) se observa en la célebre película *La guerra de los Rose.*

- El *rechazo* de la comunicación: implica la no aceptación abierta y explícita de la comunicación. Rechazarla es bloquear bruscamente la tentativa de relacionarse.
- Su contrario es la *aceptación* de la comunicación, que además genera la confirmación de la relación.
- A través de la *descalificación* la persona desvaloriza e invalida tanto su propia comunicación como la ajena. Esta respuesta engloba una gran cantidad de elementos tales como contradicciones, malentendidos, frases incoherentes e incompletas, interpretación literal de metáforas o viceversa, etc.
- Por último, la *desconfirmación* implica que el interlocutor *no existe*. A diferencia de la descalificación, en la que se ataca a la otra persona (y esta misma crítica confirma su presencia), en la desconfirmación el otro pasa a ser transparente o invisible.

Tengamos en cuenta que cualquiera de las cuatro posibilidades puede producirse tanto en el plano verbal como en el paraverbal. Estas respuestas, a la luz de las relaciones humanas, parecen ser medianamente claras. Alguien le dice a su interlocutor:

- «No comparto tu opinión, no me gusta lo que dices» (rechazo).
- «Estoy totalmente de acuerdo contigo» (aceptación).
- «Esa forma de pensar es estúpida...» (como descalificación del mensaje); «A juzgar por lo que piensas, eres un estúpido» (descalificación hacia la persona).
- No hay expresión, la persona habla como si el otro no existiese (desconfirmación).

También existen formas sumamente sutiles que no sólo tiñen de confusión la comunicación, sino que, si se repiten en el tiempo, pueden convertir las relaciones en patológicas. Los estudiosos de la comunicación mencionan la paradoja como uno de los mensajes más nocivos y confusos en la transmisión de información. Si llega a constituirse en un estilo de comunicación, produce lo que se llama doble vínculo, base de la esquizofrenia.

Una de las condiciones para construir un doble vínculo es que exista un mensaje que a un nivel exprese una cosa, mientras que, simultáneamente, a otro nivel expresa lo contrario. A este tipo de comunicación se le debe sumar la repetición en el tiempo y la prohibición de que la víctima salga de ese campo de juego comunicacional.

Esta explicación que parece confusa encuentra claridad en los ejemplos. Un niño juguetea bajo la falda de su madre, acariciándole la zona genital. La madre dice: «Marcos, por favor... ¡Sal de ahí! Vamos, retírate...». Mientras tanto, en el pleno paraverbal, no realiza ningún movimiento corporal que confirme lo que expresa verbalmente, es decir, *no se mueve.* Verbalmente le ordena al niño que se retire; analógicamente, le permite que se quede. La repetición de este mecanismo produce una fractura en la lógica racional de todo ser humano. En este ejemplo, es imposible que el niño (o sea, la víctima) escape del juego comunicacional: la presencia de sus padres es esencial para su supervivencia.

Para entender el drama que encierra tal tipo de comunicación pensemos en el cuento de las dos corbatas. Una madre judía compra a su hijo dos corbatas, una roja y una azul. El niño, contento, se pone la corbata roja y se la muestra a su madre buscando agradarle; la madre le responde: «No te gustó la azul...». Ante esa respuesta, el niño se coloca la azul y la madre le responde: «No te gustó la roja...». La repetición en el tiempo de este tipo de relación produce en el niño una acción definida: se pone las dos corbatas a la vez. Fácil es calificarlo de loco, porque alguien que usa dos corbatas a la vez está desequilibrado.

El grupo de Bateson no sólo observó que esta situación ocurre entre el preesquizofrénico y su madre, sino también que puede aparecer en personas normales. Siempre que una persona es atrapada en una situación de doble vínculo, responderá de un modo defensivo y de forma similar a la esquizofrenia.

Como se observa, el proceso de construcción de realidades (normales o patológicas, más allá de variables orgánicas) se vehiculiza a través del lenguaje, y mediante éste podemos también definir, aclarar y analizar la emisión del mensaje (tanto en el contenido como en la forma). Es decir, es el mismo lenguaje el que permite explorar, corroborar y rectificar el mensaje emitido o el juego relacional desarrollado. La metacomunicación, entonces, es una información que nos dice cómo se debe *captar* tal información. Cuando se respetan las reglas, la comunicación es complementaria y eficaz. Cuando existe confusión y transgresión de las mismas, se obtiene como resultado una comunicación disfuncional cuya perpetuación desencadena síntomas y diversos tipos de problemas en el sistema.

Dado que los seres humanos nos comunicamos *siempre*, usamos nuestro lenguaje verbal reglado y realizamos gestos arbitraria e inconscientemente, estos dos lenguajes, el verbal y el paraverbal, desempeñan un papel central en la comunicación. Conviene adentrarnos en la explicación de cada uno de ellos.

Capítulo 3

CUANDO LA PALABRA DICE: EL LENGUAJE VERBAL

Los seres humanos estamos habituados a pensar la realidad como un fenómeno externo a nosotros. En general, afirmamos: «Ésta es la realidad que nos toca vivir», y sostenemos que el lenguaje verbal, por medio de la palabra, escrita o hablada, es la única vía de comunicación posible entre las personas, representando en cierta medida esa realidad vivida. En este sentido, las palabras serían algo así como las actrices protagonistas y la realidad sería la obra y el escenario donde se desarrolla. Sin embargo, nuevas corrientes filosóficas como el constructivismo sostienen que no existe una realidad externa a los ojos, sino que ésta se construye *in situ*, y parte responsable de esa construcción es el lenguaje verbal.

El constructivismo[1] nace como un modelo teórico del saber y de la adquisición de conocimiento. Su plan-

1. Este modelo, como corriente epistemológica, fue desarrollado en su forma más radical por Ernest von Glasersfeld (1984, 1987, 1992); entre

teamiento radical se basa en que la realidad no existe como hecho objetivo, es una construcción individual que se coconstruye (en sentido interaccional) entre el sujeto y el medio. Como escuela de pensamiento, el constructivismo estudia la relación entre el conocimiento y la realidad. En su planteo más radical, afirma que un organismo nunca es capaz de reconocer, describir o remedar la realidad; sólo puede construir un modelo que se acerque de alguna manera a ella.

El ser humano en su desarrollo evolutivo, como parte del proceso de adaptación al medio ambiente, intenta edificar una estructura mental que le permita ordenar esa tendencia a la entropía propia de su experiencia, y a través de este proceso irá estableciendo experiencias repetibles y relaciones más o menos confiables, construyendo así un mundo al cual llama *realidad*. De esta manera, como consecuencia de la comunicación, dos o más personas que se relacionan y se acoplan estructuralmente en la coordinación de sus conductas, construyen un mundo conjuntamente. Este acoplamiento da lugar a la vida social, siendo el lenguaje verbal una de sus consecuencias.

No obstante, la relación entre la realidad —el mundo óntico— y el conocimiento de la misma ya fue objeto de estudio entre los filósofos, como Immanuel Kant, quien a finales del siglo XVIII, en sus *Prolegómenos a toda metafísica futura* (1781), expuso que todos los seres humanos estamos limitados por nuestro aparato percepti-

---

sus representantes figuran algunos investigadores que han llevado este tipo de pensamiento a su campo particular de estudio, como el psicólogo Jean Piaget, el antropólogo Gregory Bateson, el cibernético Heinz von Foerster, el neurofisiólogo Mc Culloch, los biólogos Humberto Maturana y Francisco Varela y el lingüista Paul Watzlawick.

vo y que tanto nuestra experiencia como los objetos de la misma son el resultado de nuestra forma individual de vivenciar, esto es, están estructurados y determinados por nuestras categorías de espacio y tiempo y nunca es posible captar la cosa en sí. Giambattista Vico (1710), considerado el primer constructivista, planteaba que el ser humano solamente puede conocer aquello que él mismo crea; así sabemos cuáles son sus componentes, su estructura y sus características, que no son patrimonio del objeto, sino distinciones que traza el observador.

En el transcurso de su vida, una persona interactúa de forma permanente con su medio proporcionando y recibiendo información, y ya desde su nacimiento, coconstruye con otros generando estructuras particulares, a veces compartidas, acerca de la realidad. En esta gesta interactiva, elaborará una escala de valores, pautas de intercambio, normas que regularán sus procesos, un sistema de creencias, en síntesis, una historia que delimitará los patrones inherentes a esa persona y no a otras. Y este proceso es ineludible: generará la producción de significaciones y atribuciones de sentido que conformarán la selección de sus construcciones, las cuales serán a su vez expresadas a través del lenguaje verbal como su base constitutiva, y simultáneamente, el lenguaje verbal será el inventor, por así decirlo, de realidades. Las palabras serán su entrada al mundo, la creación de un universo de significados que marcarán un sesgo de personalidad y moldearán la interacción con otros construyendo una realidad particular. Cabe preguntarse, entonces, por el instrumento que nos permite manifestar dicha realidad, y es ahí donde entramos en el terreno del lenguaje verbal.

Ferdinand de Saussure (1984) señala que el signo lingüístico no une una cosa y un nombre, sino un concepto y una imagen acústica. Debe tenerse en cuenta que, además de la representación de los sonidos, está su articulación, o sea, el acto fonatorio. No obstante, la imagen acústica es la representación natural de la palabra, al margen de toda realización mediante el habla:

> [...] no es el sonido material, cosa puramente física, sino la psíquica de ese sonido, la representación que de él nos da el testimonio de nuestros sentidos; esa representación es sensorial, y si se nos ocurre llamarla material es sólo en este sentido y por oposición al otro término de la asociación, el concepto, generalmente más abstracto (F. de Saussure, 1984).

Saussure señala que el carácter físico de las imágenes acústicas aparece claramente cuando observamos nuestro lenguaje verbal: sin utilizar nuestro aparato de fonación, nuestra lengua, cuerdas vocales, labios, podemos contarnos una historia, cantar una canción o recitar un poema mentalmente; es decir, que más allá de la palabra hablada existe una imagen interior del discurso: la palabra sería el dispositivo que acciona la representación mental.

El signo lingüístico, entonces, es una entidad psíquica formada por dos estructuras que están íntimamente relacionadas, puesto que son indispensables la una para la otra:

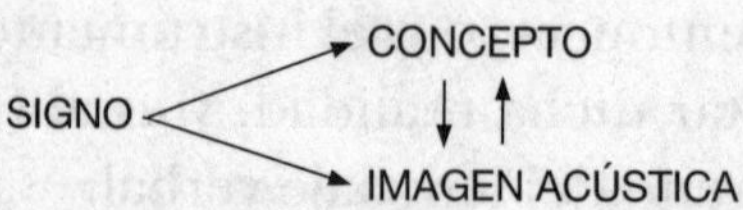

CONCEPTO
SIGNO ↓↑
IMAGEN ACÚSTICA

Pero la definición de *signo* en general no relaciona la combinación de ambas estructuras, sino que en su uso corriente remite solamente a la imagen acústica, como por ejemplo la palabra *mesa*, y se pasa por alto que si dicha palabra es considerada un signo lingüístico es porque, siguiendo con nuestro ejemplo, éste lleva incorporado el concepto «mesa»:

> Nosotros proponemos conservar la palabra *signo* para designar la totalidad, y reemplazar *concepto* e *imagen acústica* respectivamente por *significado* y *significante*; estos últimos términos tienen la ventaja de señalar la oposición que les separa, bien entre sí, bien de la totalidad de que forman parte. En cuanto a *signo*, si nos contentamos con este término es porque, al no sugerirnos la lengua usual ningún otro, no sabemos por cuál reemplazarlo (F. de Saussure, 1984).

Por lo tanto, el significante sería la resonancia interior de la articulación de la palabra que inmediatamente contacta con el significado, que es el concepto o representación mental con que el convenio lingüístico de un idioma determinado lo asocia. Así, una parte no funciona sin la otra.

Desde esta perspectiva de análisis, se considera que los idiomas poseen un repertorio de palabras cuyas significaciones dependen de acuerdos socioculturales, de convenios lingüísticos: ¿qué sucede entonces con las significaciones particulares y las atribuciones de sentido que confiere el observador a cada término? Entramos así en el mundo de la semántica: cada signo lingüístico (formado por significante y significado) conlleva, en otro nivel lógico, una *significación*, que es patrimonio de la persona que la expresa. Quiere ello decir que mientras que el *significado* alude a semánticas socioculturales en concomitancia con la imagen acústica, la significación remitirá a las peculiaridades del emisor.

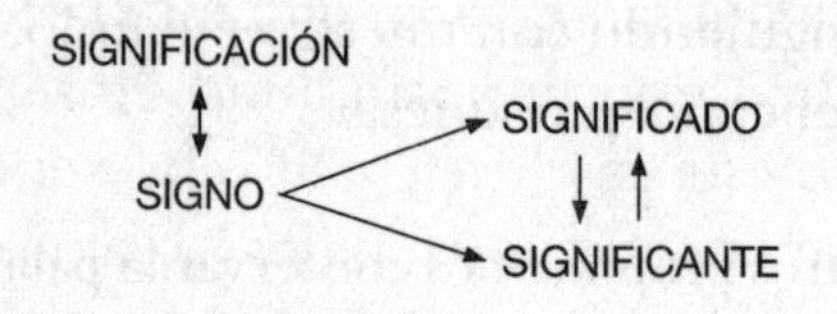

Al introducirnos en el mundo de la semántica, de los significados, podemos afirmar que, si bien el código lingüístico remite a la convención social, nos brinda la posibilidad de comunicarnos y entendernos en términos de sintaxis, esto es, mediante los signos logramos decodificar lo que se dice y lo que nos dicen. La diferencia se produce en el ámbito de la *significación*, puesto que es ahí donde impera el universo de sentido que forma parte de la singularidad de la persona.

Podemos entender lo que el otro nos dice porque hablamos su mismo lenguaje verbal, pero no siempre comprendemos la *significación* que nos desea transmitir, puesto que entran en juego las atribuciones individuales. Esto sucede de forma clara cuando se utilizan términos abstractos o poco concretos como, por ejemplo, «Estoy bien» o «Estoy mal»: ¿qué se quiere decir con esto?, porque para mí estar bien o mal no implica la misma condición de bienestar o malestar que para otro. El conocimiento de nuestro interlocutor posibilita la entrada en su universo de creencias para lograr reconocer, aproximadamente, qué nos está tratando de decir.

Volvamos al ejemplo. Frente al término *mesa,* en principio, poseemos un determinado diseño mental que alude a su forma (imagen acústica y concepto). El segundo punto expresa la significación: el marco semántico individual con que el término está impregnado. Ambas estructuras son inseparables, puesto que todas las palabras tienen una significación que está determinada por la persona, en tanto receptor o emisor. Y debido a esta imposibilidad de separación, la palabra —en este caso *mesa* y su representación mental como «tabla con cuatro patas»— aparecerá revestida por el sentido particular que se le asigne: puedo imaginar una mesa de vidrio y patas en trípode o caballetes de metal o madera, o puede que sea redonda, oval, cuadrada, rectangular, de metal, de vidrio, de madera, grande, pequeña, de juguete, puede servir para escribir, comer, como decoración, etc. Todas estas atribuciones descriptivas y semánticas particulares se corresponden con la representación mental general y se crean a partir de experiencias y vivencias personales.

De forma similar, este mismo fenómeno se da en el acto del conocimiento: en la observación será muy difícil tener una mirada objetiva y *aséptica*, o sea, sin imprimir a lo observado las significaciones que nuestras estructuras conceptuales le atribuyen, transformándolo en realidad *subjetiva*. Así, se construye una realidad, y es la persona la que queda atrapada en esa imagen, encerrada en sus propios significados, entre cuyas manifestaciones se cuenta el lenguaje verbal.

H. von Foerster plantea algunas cuestiones con respecto al lenguaje verbal. Una de las confusiones que señala el autor es suponer que el lenguaje verbal es *denotativo*. Es decir, siguiendo con el ejemplo anterior, se dice *mesa* para denotar el objeto «mesa». Pero muchos psicolingüistas han analizado las propiedades *connotativas* del lenguaje verbal: cuando se nombra un objeto, no se alude ni se indica un objeto determinado, sino que se evoca en cada uno de nosotros el concepto, teniendo en cuenta que compartimos el mismo código sociocultural.

El mismo autor describe un ejemplo de Margaret Mead, quien narra una divertida anécdota que ilustra claramente este punto:

> [...] en el curso de una de sus investigaciones sobre el lenguaje de una población aborigen, trató de aprender este lenguaje a través de un procedimiento denotativo. Señalaba un objeto y pedía que le pronunciaran el nombre; luego otro objeto y así sucesivamente; pero en todos los casos recibió la misma respuesta: «Chemombo». Todo era «Chemombo». Pensó para sí: «¡Por Dios, qué lenguaje terriblemente aburrido!, ¡todo lo designan con la misma palabra!». Finalmente, después de un tiempo, logró averiguar que el significado de Chemombo, era... «¡señalar con el dedo!». Como se ve, hay notables dificultades aún en la mera utilización del lenguaje denotativo (H. von Foerster, 1995).

Naturalmente, cualquier occidental hubiera dirigido la mirada a la cosa hacia la que apuntaba el dedo. Éste es un automatismo que muestra el significado aprendido del gesto. El dedo índice erguido en un puño cerrado y dirigido hacia una cosa implica señalar; es poco probable que a alguien de nuestra cultura se le ocurriera contestar a la pregunta «¿Qué es esto?» diciendo: «Es un dedo señalando». Frente a tal pregunta, la mirada se focalizaría en el objeto y no en el dedo.

Por otra parte, es importante distinguir lenguaje verbal y comunicación. La comunicación remite a una noción más amplia que engloba una amplia gama interactiva que va desde la comunicación entre los seres humanos hasta la de los animales. La comunicación se encuentra en un supranivel que abarca no sólo el lenguaje verbal, sino también todo lo que compete a la gestualidad, a las conductas y a cualquier tipo de comportamiento.

El lenguaje verbal sería un modo específico de la interacción, en el que se diferencian, siguiendo a Von Foerster, dos aspectos: el primero es el funcional, como intercambio social; el segundo tiene que ver con el lenguaje verbal propiamente dicho, campo de estudio de los lingüistas centrado en la sintaxis, la semántica, la gramática, etc. Gramaticalmente, el lenguaje verbal consiste en un sistema codificado mediante una nutrida simbología compuesta por letras que estructuran palabras y palabras que articuladas entre sí componen frases, y frases que se organizan en oraciones, y oraciones que se asocian formando un discurso. Todas estas estructuras son posibles gracias a una serie de reglas que posibilitan que el lenguaje verbal sea un sistema organizado.

Por qué el uso del *porque*

El tipo de lenguaje verbal que se utiliza como forma básica de comunicación responde a la categoría de lenguaje *indicativo,* o sea, el lenguaje verbal de la descripción, interpretación y explicación. Es el lenguaje de la causalidad lineal, utilizado en la ciencia clásica. Y éste puede observarse fácilmente en los diálogos: sucede con frecuencia que las personas, cuando se enfrentan a un fenómeno determinado, activan un automatismo de búsqueda del origen, de causas primeras. Esta tendencia a encontrar los motivos de un hecho, como bastión de la explicación, se traduce en el lenguaje verbal a través del término *porque*.

El principio explicativo fue el que imperaba en las ciencias clásicas, ciencias que concebían un universo puramente determinista donde la certeza, la verdad y una realidad *real* convocaban a un orden que mantenía un mundo medianamente equilibrado. Las respuestas frente a los interrogantes, por lo general, ajustaban los hechos al paradigma de pensamiento imperante. Pero la segunda ley de la termodinámica introduce la noción de «incertidumbre», concepto que provocará una fractura en los parámetros teóricos existentes y conllevará su relativización.

Edgard Morin (1984) señala que «el principio de la explicación de la ciencia clásica veía en la aparición de una contradicción el signo de un error de pensamiento y suponía que el universo obedecía a la lógica aristotélica. Las ciencias modernas reconocen y afrontan las contradicciones, cuando los datos exigen de forma coherente y lógica la asociación de dos ideas contrarias para concebir el mismo fenómeno (la partícula se manifiesta algunas veces en forma de onda y otras como corpúsculo, por ejemplo)».

Pero el principio explicativo no solamente se aplicó en las investigaciones científicas, sino que (y es común en todo proceso) llegó a instalarse como un estilo cognitivo sociocultural. La lógica del *porque*, causal-lineal, forma parte del discurso habitual en la interacción de los seres humanos, en mayor o en menor medida, según la cultura. Basándose en una investigación realizada por E. Langer en la Universidad de California, Nardone y

Watzlawick (1992) demuestran el automatismo del uso del *porque,* al tiempo que observan el poder de las formas sugestivas de la comunicación que eluden las resistencias y las convicciones lógico-racionales.

> En una cola de espera para hacer fotocopias en la biblioteca, la petición por parte de un estudiante de que se le permita no respetar el orden de la fila produce efectos diferentes según sea su formulación. «Perdona, tengo cinco páginas, ¿puedo usar la fotocopiadora?, porque tengo mucha prisa.» La eficacia de esta petición, con explicación (contenido), ha sido casi total: el 95 % de los interpelados lo han dejado pasar delante en la fila. Compárese este porcentaje de éxitos con los resultados obtenidos con la simple petición «Perdona, tengo cinco páginas, ¿puedo usar la fotocopiadora?». En esta situación solamente lo conseguía el 60 %. A primera vista parece que la diferencia decisiva entre las dos formulaciones consistía en la información añadida contenida en las palabras «porque tengo mucha prisa». Pero una tercera fórmula experimentada por la profesora Langer ha demostrado que las cosas no eran exactamente así. Por lo que parece, lo que constituía la diferencia no era la serie entera de palabras con sentido completo, sino la primera: «porque». En vez de dar una verdadera razón para justificar la petición, la tercera formulación se limitaba a usar el *porque* sin añadir nada nuevo: «Perdona tengo cinco páginas ¿puedo usar la fotocopiadora?, porque tengo que hacer fotocopias».
>
> El resultado fue que, una vez más, casi todos (93 %) dieron su consentimiento, aun cuando no había ninguna información nueva que explicase su condescendencia. Al igual que el piar de los polluelos basta para desencadenar la respuesta automática de la madre, aun cuando provenga de un aparato mecánico, así también la palabra *porque* lograba desencadenar una respuesta automática

por parte de los sujetos de Langer, aunque tras la palabra porque no llegaba ninguna razón particularmente decisiva (G. Nardone y P. Watzlawick, 1992).

El término *porque* explica una acción a través de un motivo (un contenido determinado) que la avala y le da sentido. En la tercera intervención, a pesar de que no hay contenido lógico en el motivo o no agrega ninguna causa nueva a la petición, abre camino a la acción. Pareciera ser que la *cosmética* de la palabra posee tanta fuerza en la comunicación que no permite la recepción (la escucha) del contenido. O sea, la sintaxis del *porque* es tan poderosa que se obvia la semántica.

Una explicación generalmente remite a una perspectiva lineal, causa-efecto, puesto que en la mayoría de las oportunidades se busca el origen que motivó un fenómeno. También una explicación causal podría obedecer a la circularidad, un *porque* interaccional: «Yo reaccioné así porque el otro...», pero con frecuencia no se continúa con el recorrido recursivo: «El otro reaccionó así porque yo le dije que...»; por lo tanto, se lee solamente un tramo lineal de un circuito circular (sistémico). Tal vez el énfasis no recae, siguiendo esta línea de análisis, en la circularidad ni en la linealidad, sino en la necesidad de buscar la causa o el origen del hecho que se desea analizar, el cual está insertado como estructura o pauta cognitiva en el ser humano.

Los seres humanos, para hacer frente al desorden y la entropía de la experiencia, intentamos imponer una cuota de orden que nos permita funcionar. De esta manera, se constituyen las normas sociales, religiosas, culturales, familiares, que imprimen la corrección y rectificación de errores frente al aprendizaje. El lenguaje verbal, por su parte, mantiene reglada isomórficamente la comunicación mediante su propia codificación y, en cierta medida, pauta la interacción mediante una sintaxis de discurso y articulaciones semánticas.

Entonces, frente a un hecho concreto que genera incertidumbre y la consecuente angustia, la tendencia a encontrar el origen de su determinación produce efectos sedantes momentáneos o duraderos. Este *input* de una nueva información, como una construcción lingüística que genera la comprensión del suceso, lleva a que la persona adquiera cierta seguridad, que le otorga estabilidad en el sistema donde se halla inmersa.

Un lenguaje que manda

Pero si analizáramos los diálogos, también descubriríamos que no es el lenguaje indicativo el más utilizado, sino que las formas *imperativas* son más frecuentes de lo que pensamos. Watzlawick señala que, casi entre líneas, Spencer-Brown define en su libro *Laws of form* el concepto de «lenguaje imperativo»:

> Puede ser provechoso en esta fase comprobar que la forma primaria de la comunicación matemática no es la descripción, sino la imposición. En este sentido se puede establecer una comparación con las artes prácticas, como la cocina, en la que el gusto de un dulce, aunque indescriptible con palabras, puede ser comunicado al lector en forma de un conjunto de instrucciones, que se denomina receta. La música es una forma artística similar: el compositor no intenta ni tan siquiera describir el conjunto de sonidos que tiene en su mente y menos

> aún el conjunto de sentimientos por su medio imaginados, sino que describe un conjunto de órdenes, que si el lector las pone en práctica, pueden conducir al lector mismo a la reproducción de la experiencia original del compositor (P. Watzlawick, 1992).

Cuando una persona, por ejemplo, describe un objeto, nos llama la atención sobre ciertos aspectos de éste que, posiblemente, no habíamos tenido en cuenta. También es factible que algunos otros aspectos que no fueron observados por nuestro interlocutor hayan sido percibidos por nosotros. Lo interesante del fenómeno comunicacional es que cuando se transmite información se pauta la percepción de los diversos receptores y emisores. Si digo: «Mira la forma que tiene esa nube», y menciono una forma determinada, llevo —más bien obligo, por así decirlo— a mi *partenaire* a que observe lo que yo observo. Si digo: «¡Qué hombre tan alto!», hago que mi interlocutor centre su atención en la altura, no porque no se haya dado cuenta antes, sino porque lo alerto yo, y cuando se le alerta focaliza su atención en ese dato, un dato que lo obliga a captar una imagen que yo le impongo. Claro que éste no es un proceso consciente, sino que forma parte de la comunicación y cognición humana.

Si el lenguaje verbal por sí mismo puede llevar a pautar distinciones, ni que decir tiene que las órdenes explícitas, por su propio carácter de lenguaje imperativo, las imponen. Spencer-Brown analiza este tipo de lenguaje en el ámbito de la ciencia. Por ejemplo, expresiones de una investigación científica tales como: «Mezclar las siguientes sustancias en una pipeta graduada y se observarán una serie de gases multicolores», son órdenes que pautan la secuencia de un proceso. Muy claro resulta el ejemplo de la aplicación del test de Rorschach. Compuesto por manchas de tinta, algunas de colores, otras polícromas, la consigna ordena: «Le mostraré una serie de láminas, comuníqueme qué ve en cada una de ellas». Este imperativo lleva a que la persona observe en la mancha figuras que le resultan familiares, es decir, que encuentre forma en lo amorfo. Tal es la inducción del lenguaje imperativo en la cognición y, por ende, en la emoción de las personas.

El lenguaje imperativo se utiliza también en la labor hipnoterapéutica. Milton Erickson es un psiquiatra de la década de 1950 que destacó por su extraordinaria creatividad e inteligencia para producir cambios efectivos en corto tiempo. Como hábil maestro de la terapia, utilizaba una técnica que le resultaba infalible: *hablar el lenguaje del paciente.* Gracias a esta estrategia, no sólo copiaba los tonos de voz, expresiones y muletillas verbales, sino también todo lo que corresponde al lenguaje analógico: gestos, actitudes, posturas, etc., penetrando así en el universo de creencias del paciente y obteniendo los efectos de cambio buscados.

Erickson es un investigador que formula los términos con una gran sutileza y precisión. Uno de sus ejemplos más difundidos es el tratamiento de un hombre negro con problemas de violencia. Trabajó con él durante muy pocas sesiones, pero en una de ellas introdujo el término *african violet* («la flor violeta africana») como variación del término *african violence* («violencia africana»). Esta superposición, a partir de la similitud de las palabras, junto con la habilidad de su retórica, lograba *hipnóticamente* cambiar los significados, convirtiendo violencia y agresión en algo tan bello y pasivo como una flor.

Paul Watzlawick (1992) afirma: «Estoy convencido de que el lenguaje imperativo adquirirá un papel central en el ámbito de la estructura de las técnicas modernas. Naturalmente siempre ha ocupado este lugar de relieve en la hipnoterapia. De hecho, ¿qué es una sugestión hipnótica, sino un imperativo a comportarse como si algo hubiera adquirido realidad por el hecho de haber ejecutado la orden? Pero esto equivale a decir que los imperativos pueden literalmente construir realidades y que, igual que acontecimientos causales, pueden tener este efecto no sólo sobre las vidas humanas, sino también sobre cuanto se refiere a la evolución cósmica o biológica».

Los especialistas en semántica general (por ejemplo, Korzybski [1973]) demostraron que el lenguaje verbal es una herramienta que impone distinciones en la percepción de nuestro mundo. O sea, por medio del lenguaje verbal imponemos nuestros significados, construyendo realidades que nos permiten efectuar distinciones, llevándonos a puntuar la interacción. Según la puntuación que se realice, se crearán realidades diferentes.

Ya hemos mencionado anteriormente que la *puntuación de la secuencia de hechos* es uno de los axiomas de la pragmática de la comunicación humana que muestra cómo el lenguaje verbal impone distinciones. Este axioma explica cómo cada vez que observamos un hecho tendemos a describirlo de una manera particular, puntuando cada una de las secuencias de interacción, describiendo integrantes, pautas y todo un juego relacional. En este sentido, Keeney (1983) señala acerca del concepto de puntuación: «Toda vez que un observador traza una distinción, establece concomitantemente una indicación, vale decir, señala que uno de los dos aspectos distinguidos es el primario (por ejemplo éste, yo, nosotros) [...] crear esta indicación es la finalidad misma de la distinción. El empleo de la distinción para crear la indicación es una manera de definir la puntuación».

Pero, en el plano de la sintaxis, las reglas de la puntuación también crean nuevas realidades. Una gama importante de signos nos proporciona los elementos necesarios para que, en la estructura de la oración, se determinen las fluctuaciones de distintos significados, más allá de la semántica de cada palabra en particular. Las distintas interjecciones, puntos, comas, interrogaciones, signos de admiración, etc., de la sintaxis de una frase pueden pautar las construcciones de realidades distintas, conformando una semántica alternativa a la estructura de la oración original, por ejemplo: «Cómo cambiaste mi vida…», «Cómo cambiaste…, mi vida», «¿Cómo cambiaste mi vida?», «¡Cómo cambiaste mi vida!», «¿Cómo cambiaste?, mi vida», «¡Cómo cambiaste!… mi vida». Sobre esta frase se podría continuar elaborando múltiples combinaciones, anexándole las cadencias adecuadas que supone cada signo de puntuación, aunque estos signos sintácticos no abarcan las infinitas variantes paraverbales que suponen, para otorgarle a la frase la correcta intencionalidad de significado. Nótese, por cierto, que en este supuesto diálogo la palabra *cambiaste*, según la puntuación, involucra alternativamente al emisor o al receptor.

Indudablemente, el trazado de distinciones en la percepción convierte a las tres áreas de la comunicación humana en un todo complejo y recursivo. Un círculo en el que cada uno de los eslabones de la cadena se autoinfluye e influye al próximo y que puede entenderse desde cualquier punto del mismo, o sea, podemos *puntuar* desde cualquier fracción de la secuencia:

1. Se puntúa en la sintaxis lingüística («Vengo tarde a cenar porque estoy cansado de que me recibas con esa cara»).
2. Se crea un marco de significados particulares.
3. Este juego tendrá implicaciones en la pragmática donde se desenvuelven acciones (el marido sigue llegando tarde) e interacciones (la esposa está cada vez más enojada).
4. Se establece una relación determinada (en este caso, conflictiva y enquistada en el problema).

Si tomamos cualquiera de los pasos de una secuencia obtendremos los mismos resultados: en toda relación se despliegan acciones e interacciones que construyen significados tanto para el protagonista como para los interlocutores, los cuales puntuarán el hecho de una forma subjetiva y particular.

Por lo tanto, si una realidad se inventa por medio de las atribuciones de significado que nos permiten observar y percibir trazando distinciones, describiendo, adjetivando, categorizando, realizando abstracciones y elaborando hipótesis, el acto de conocimiento se transforma en autorreferencial y subjetivo (puesto que se percibe desde el propio modelo de conocimiento), y es, entonces, el lenguaje verbal el que crea la realidad.

Nuestra estructura cognitiva contiene representaciones del sistema de creencias, escalas de valores, pautas familiares y socioculturales, modelos de conocimiento específicos, etc., que imponen al lenguaje verbal diferentes marcos semánticos de acuerdo a nuestra perspectiva de la vida, a nuestra visión del mundo. Estos elementos son los que propician, en el acto de conocimiento, el recortar la observación (trazar distinciones) y expresar lo visto a través de descripciones, comparaciones, categorías, etc. Entonces, si uno ve lo que quiere ver, si uno es el que inventa o el que crea la realidad, el lenguaje verbal es la vía de dicha construcción.

Este proceso se desarrolla en los diálogos humanos: de manera casi imperceptible, la comunicación puede tomar giros insospechados tornando las relaciones en conflictivas, aumentando o reduciendo la complejidad y transformándola en complicación, construyendo —por medio del lenguaje verbal— realidades diferentes (acuerdos, desacuerdos, rivalidades, escaladas simétricas, complementariedades sanas o rígidas, etc.). Pero es posible que si se establece una puntuación distinta en la secuencia de hechos, es decir, si se altera cualquiera de los tramos de la cadena, se genere el retorno al equilibrio construyendo, a su vez, una nueva realidad. Siguiendo con el ejemplo anterior, si la esposa modifica su actitud y recibe a su marido con una amplia sonrisa en una de las noches que llega tarde, seguramente algo diferente experimentará él; por tanto, tendrá una reacción distinta a la original y este pequeño acto podrá generar una secuencia tal vez opuesta a la construida hasta el momento. *El mundo es, entonces, la imagen del lenguaje*, aunque no sólo del lenguaje verbal, como hemos analizado en este apartado, sino también del lenguaje analógico (como veremos más adelante). Todo el complejo de signos que componen la lengua, sumado a la infinita cantidad de signos paraverbales que intervienen en paralelo, hace que construyamos cotidianamente nuestras vivencias, nuestra realidad de cada momento.

En cambio, si pensamos que debemos descubrir la realidad externa a los ojos, suponiendo que existe una realidad *real* que debemos desvelar, el lenguaje se reduce a una mera representación del mundo.

Los canales de información

En su discurso, esto es, la construcción sintáctica que intenta transmitir, una persona puede utilizar ejemplos, analogías y metáforas que se relacionan con los canales sensitivos más desarrollados en ella. Dichos canales, en el proceso comunicativo, de alguna manera determinan la elección de diferentes actividades, desde las más importantes hasta las más insustanciales, desde los proyectos de mayor envergadura hasta los más nimios, desde las acciones más elocuentes hasta las más cotidianas, etc., aparte de los factores contextuales, que a la vez estimulan la evolución y el desarrollo de tales canales. Si el interlocutor tuviese la habilidad (y la paciencia) de descubrir cuál es ese canal más utilizado, en la comunicación se haría más efectiva la introducción y codificación de mensajes.

Oradores, conferenciantes, vendedores también operan con este recurso, de manera tal que, conjuntamente con la elocuencia del discurso y la modulación de frases y expresiones, logran acentuar sus mensajes y que las mentes de sus interlocutores fijen la idea que intentan transmitir.

Tales canales son de cinco tipos: visual, quinestésico, auditivo, olfativo y gustativo, los cuales, como se puede apreciar, se corresponden con los cinco sentidos expresados en el lenguaje verbal, aunque en el quinestésico también puede primar la gestualidad.

Canal visual

Si el canal más importante es el *visual*, en una conversación se resaltarán observaciones referentes a situaciones, ejemplos o metáforas recreadas a través de imágenes. A pesar de que resulta complejo generalizar, es probable que profesionales del mundo de la publicidad, arquitectos, diseñadores gráficos, amantes del diseño y del arte visual, dibujantes, artistas plásticos en general, pintores, escultores, etc., recurran a este medio como forma de recrear su discurso.

Si alguien desea mejorar la comunicación con su *partenaire*, debe incorporar a su retórica metáforas y descripciones de escenas de corte visual. De esta manera, acrecentará el interés y despertará mayor atención sobre el mensaje que trata de transmitir. Así, por ejemplo, para describir su entorno, una persona cuyo principal canal es el visual diría: «Es de noche y está muy oscuro»; «Qué iluminado que está ese cartel»; «Llevaba un vestido rosa con unas perlas brillantes en el escote»; «Era de colores vivos»; «Se puso rojo de rabia»; «Estaba pálido de frío»; «Se habrá puesto verde de envidia».

En ocasiones, en psicoterapia, para favorecer la comunicación y acentuar los mensajes, el terapeuta apela a gráficos de círculos viciosos, carteles con ayudas de memoria, la realización de dibujos y tareas desarrolladas en forma escrita; pero también aplica ejemplos y analogías que dibujen en la mente de la persona escenas anticipatorias que facilitarán la interacción en futuras situaciones, cumpliendo con el objetivo propuesto de la forma más rápida y efectiva.

Canal quinestésico

Si en la persona cobran primacía las percepciones *quinestésicas*, sus verbalizaciones describirán sensaciones físicas, como calor, frío, aspereza, suavidad, contracción, relajación, etc. En numerosas oportunidades, estas expresiones van acompañadas de gestualidad táctil. Por ejemplo, se remarcan algunas frases por medio del contacto físico poniendo una mano en el hombro, cogiendo la mano del otro, dando una palmada en el brazo, etc.: «Y se me puso la piel de gallina»; «Es suave como la piel de...»; «Me estremecí cuando...»; «Reinaba una atmósfera...»; «Era una persona pegajosa».

En general, este tipo de personas tiende al contacto físico en la interacción y suele manifestar el afecto a través de este canal mediante el abrazo, o acompaña su discurso tocando a su interlocutor, etc. Es decir, otorga preeminencia al contacto corporal en la interacción.

Más allá de las expresiones metafóricas que dan cuenta de este canal, los relatos más o menos se desarrollan acentuando las descripciones en esta vía: «Cuando iba a hacer parapente sentí un miedo terrible al comienzo, se me erizó la piel y sentí que las manos se me empapaban de un sudor frío y me dolían del frío; cuando bajé y pisé tierra abracé a mi mujer como si hubiese nacido de nuevo»; «Estaba lleno de gente, había una humedad terrible y estaban todos sudorosos, era verdaderamente un asco, este clima es insoportable».

Canal auditivo

El canal puede ser de tipo *auditivo.* Los discursos se relacionan entonces con la escucha, por lo que incorporan gran cantidad de analogías con sonidos. Lo utilizan músicos profesionales o personas cuyo hobby es la música o simplemente personas que resaltan lo auditivo en sus descripciones: «Yo lo escuché»; «Dicen que...»; «Gritó tan fuerte...»; «Hizo tanto ruido como el estallido de una bomba»; «Dio un portazo terrible y se fue»; «Se escuchaba una música de fondo».

Estas personas suelen intercalar en su conversación expresiones guturales, o bien, en lo paraverbal, añaden sonidos a la gestualidad, reproduciendo los ruidos de las acciones que describen: *crash, ¡pum!, shhh, ¡plash! ¡paf!* Es algo así como una producción casera de *efectos especiales,* que imprimen un carácter más vívido a la narración. Las metáforas y ejemplos están dirigidos hacia este sentido. En el plano analógico, además de onomatopeyas, se introducen en el discurso sonidos tales como golpes de manos, chasquidos de dedos, palmadas en el escritorio, etc. Los discursos se caracterizan por descripciones como las siguientes: «Entré en la oficina y tiquitiqui, se oía teclear en los ordenadores»; «El centro de la ciudad era un caos, se escuchaban sirenas, no sé si eran de ambulancias o de la policía»; «Mi compañero me gritó pero yo estaba tan abstraído...».

Canal olfativo

Son diversas las expresiones en la sintaxis del discurso en las que predominan las metáforas o analogías que sugieren olores de todo tipo. En general, las personas que utilizan este canal se comunican mostrando el especial impacto de tal sentido, más allá de la deformación profesional de las vendedoras de perfumes, que pueden describir las fragancias por su condición cítrica, ácida, dulce, etc., o los catadores de vino, que, además del sabor, hacen prevalecer fundamentalmente su olfato en la catación: «La atmósfera tenía un olor...»; «Lo que más me atrajo fue el olor de su piel...»; «El olor de las flores...»; «Preparó una comida con unas especias exóticas que olían a...».

Cuando describen algo, estas personas hacen hincapié en los olores y tienden a centrar su atención en los olores ambientales o en los que exhalan sus propios interlocutores. Debemos tener cuidado a la hora de presentarnos ante ellas si, por la razón que fuera, nuestro olor pudiera desagradarles. Pueden expresar comentarios tales como: «Me encanta tu perfume... ¿es Chanel?»; «Hoy no te has puesto perfume pero hueles muy bien, ¿es el desodorante?»; «Has estado comiendo en algún restaurante... se te pegó el olor en la ropa»; «¡Uf, qué olor tan desagradable! Será de alguna cloaca».

Canal gustativo

Este canal permite poner énfasis en las connotaciones y descripciones que acentúan sabores, gustos, con lo cual se expresan también las preferencias de la persona: «Me gusta/No me gusta»; «Qué rico/Humm, le falta...»; «Es muy agrio para mi gusto/No me gusta lo agridulce».

En la descripción gustativa se confrontan opuestos: salado/soso, dulce/amargo, etc. O bien, si se trata de algo de sabor más o menos similar, se formula una descripción cuantitativa, por ejemplo: «Dulce», «Muy dulce», «Empalagoso»; «Es muy picante, es menos picante que el otro»; «¡Ay, qué ácido!».

Por lo general, los relatos intercalan metáforas que remarcan lo gustativo. Al recordar una situación y describir las muchas partes que la componen, nuestro interlocutor centrará su interés en lo que impactó su sentido del gusto: «Saborea el té, ¿no es delicioso? Si lo tomas sin azúcar apreciarás mejor su sabor, yo ya me he acostumbrado»; «¡Hummm, qué galletas tan ricas! Son caseras»; «Fui a la fiesta de Pablo; había unos canapés de camarones riquísimos y un soufflé de calabaza».

Es lógico que ciertos profesionales utilicen este tipo de descripciones, aunque no necesariamente debe ser así. Los cocineros y especialistas gastronómicos, que describen *lo dulce o salado, lo amargo*; los catadores de vinos, que califican utilizando términos tales como *abocado, añejo, con cuerpo, suave,* etc., son algunos de los oficios en los que prevalece el sentido del gusto.

Una persona no necesariamente deberá expresarse con metáforas o ejemplos que remitan a un determinado canal. Es probable que desarrolle más de un canal sensitivo, es decir, pueden coexistir varios de ellos. A veces, en el lenguaje verbal no prepondera ningún sentido; en otras ocasiones se superponen varios canales. Por lo general, olfato y gusto se asocian; los ejemplos visuales son comunes en tanto la vía visual es la más utilizada.

En la comunicación humana, captar cuál es el canal más utilizado por nuestro *partenaire* puede ser uno de los elementos que favorezca que nuestros mensajes lleguen a buen puerto, es decir, que sean codificados de manera más correcta que la habitual.

Esto es lo que, en la hipnoterapia ericksoniana o en la Terapia Breve del grupo del MRI (Mental Research Institute) de Palo Alto, se denomina *hablar el lenguaje del paciente.* En esta técnica, el terapeuta ingresa, de manera sutil, en el universo sintáctico (y semántico) del paciente y copia paulatinamente sus frases, canales metafóricos o ejemplos más representativos, así como sus posturas corporales y su gestualidad. Logrará así, sugestivamente, introducir la información que desea para que el paciente pueda actuar sobre su problema.

Pero no se trata de una simple imitación de conductas, gestos y verbalizaciones; implica conocer el universo de creencias y significados del paciente. Por cierto, si el lenguaje verbal es la vía por la que se expresa la semántica y el constructor de realidades, la copia sutil permite introducirse en ese mundo de subjetividades y desde allí provocar el cambio. En esta misma dirección, el empleo de frases, muletillas o palabras que caracterizan el discurso del consultante es otra de las herramientas que favorecen la persuasión en la comunicación humana.

Entre las numerosas modalidades y estilos de comunicación destacan los *refranes* o *frases* que subrayan las afirmaciones de la persona. Los refranes populares y las frases célebres pueden ser parte del discurso de un interlocutor, el cual incorporará, ingeniosamente, a sus mensajes tanto los dichos que utiliza su *partenaire* como otros de su propio repertorio. Según el nivel cultural del hablante, estas frases pueden incluir desde máximas vulgares y populares hasta sentencias cultas y eruditas. En algunos casos, son reflejo de las racionalizaciones e intelectualizaciones que la persona utiliza como mecanismos defensivos en determinadas situaciones.

Otra de las formas es el uso de muletillas o palabras cuya repetición sirve de *sostén* a las narraciones: «O sea, el problema es que mi socio no está bien, o sea, esto no implica que la sociedad vaya mal, o sea...»; «Entonces yo le dije: "No puede ser, estás totalmente equivocado"; entonces yo no le quise herir, porque tenía miedo a su reacción, entonces me contestó...».

A veces, estas palabras están relacionadas con expresiones o frases de moda, o sencillamente son términos de uso generalizado que suavizan el discurso. Suelen incorporarse tanto para abrir la alocución como para cerrarla, pero también pueden intercalarse reiteradamente, cerrando o abriendo pequeños tramos del relato: «Me peleé con mi hermano, todo mal, me dijo que yo era una porquería porque salí en defensa de su novia, todo mal, pero yo también le dije que no hacía las cosas como se deben hacer, la cuestión es que mal, todo mal...»; «Mi mujer se pone muy triste en esas situaciones, ¿entiendes?; creo que su madre nunca la quiso, que prefería a su hermana, ¿entiendes? Seguramente por eso es muy exigente conmigo, ¿entiendes?».

En otras ocasiones, son más bien sonidos casi guturales los que acompañan a las frases: «Ehhh, no deseaba ir a la fiesta, esteee, estaba bastante deprimida... ehhh, y al final me metí en la cama y no fui a ningún lado»; «Hummm, no sabía qué hacer, porque ella, hummm, dijo que no sabía».

Esta técnica, que suele ser muy efectiva, se aplica en las consultas con adolescentes que, en general, se identifican con los patrones lingüísticos de moda, aunque conlleva dificultades debido a la continua aparición de nuevos términos.

El empleo de tales expresiones y giros en las intervenciones comunicacionales permite introducirse en el universo del interlocutor. Recalcamos que tal técnica debe aplicarse de una manera perspicaz, ya que si no se hace con mesura puede parecer una burla hacia la persona, con las lamentables consecuencias que esta sensación puede desencadenar.

Capítulo 4

CUANDO EL CUERPO HABLA: EL LENGUAJE PARAVERBAL

Lo que ha dado en llamarse *lenguaje analógico* engloba un universo de transmisión de mensajes cargados de significaciones cuya interpretación, en la mayoría de las oportunidades, resulta azarosa. Más aún, los gestos y posturas corporales constituyen un blanco de proyecciones, por parte del interlocutor, mayor que el del lenguaje verbal. O sea, si no es la palabra el elemento concreto del mensaje, cualquier gesto o movimiento desarrollado en la interacción puede dar lugar a un *feedback* ambivalente y, por tanto, ser entendido como ataque al interlocutor.

La sistematización de un vínculo en el tiempo, un vínculo que perdura y se sostiene durante años, es lo que posibilita que entendamos los gestos de manera más clara, en tanto se ahonda y profundiza en el conocimiento de los códigos relacionales de los diferentes receptores y emisores.

Este tipo de lenguaje es más antiguo que el lenguaje verbal propiamente dicho. Además, el uso del cuerpo como comunicador trasciende las limitaciones del lenguaje hablado. O sea, desde esta perspectiva la lengua resulta un impedimento para la libre comunicación. En cambio, la comunicación analógica permite establecer un diálogo, si se quiere universal, mediante la interpretación de gestos sin mediar el lenguaje verbal. Esto se demuestra, por ejemplo, en la diferencia que existe entre escuchar a una persona que habla una lengua que desconocemos y mirarla mientras habla. Con certeza, interpretaremos mucho mejor lo que intenta transmitirnos si el oído y la vista se aúnan en la comunicación, como señalaremos más adelante.

«Todo esto corrobora la hipótesis de que los modelos analógicos poseen un fuerte componente instintivo que se aproxima a una señal universal, además de un componente imitativo y cultural, aprendidos del contexto social» (Andolfi, 1977).

El mundo de la comunicación, y más aún el del lenguaje analógico, posee un alto grado de complejidad; la divergencia entre lo que se intenta transmitir y lo que se capta sienta las bases de las disfuncionalidades relacionales que transforman la alta complejidad en complicación. Paul Watzlawick,[1] en la época en que pertenecía al equipo de investigación del MRI y al grupo de Bateson, intentó cuantificar la comunicación; esta tarea acabó condenada al fracaso, dada la imposibilidad de sistematizar los millones de signos lingüísticos que pueden registrarse.

El lenguaje paraverbal es el más difícil de controlar. De hecho, surge con tal espontaneidad que no deja lugar a la mentira, pues escapa a la voluntad consciente

1. Transmitido en comunicación personal.

del individuo. La posibilidad de codificarlo permite ingresar en la lógica relacional del interlocutor: entender las reglas de funcionamiento de su sistema, sus pautas, funciones, creencias, valores y objetivos. Es importante poner atención al estilo de interacción de las personas, la forma y el modelo que se ejercita en el juego relacional. Por ejemplo, se puede observar en un grupo cómo se sienta cada uno de los participantes, no solamente su posición corporal, sino la disposición en el espacio, quién se sienta al lado de quién, quién está más próximo de tal otro, quién está más alejado; estos datos resultan de gran utilidad a la hora de desarrollar una hipótesis, esto es, de estructurar alianzas, coaliciones, identificaciones, marginaciones, etc.

En psicoterapia, por ejemplo, cuando se trabaja en una entrevista de familia, tal disposición espacial muestra las características, el estilo y las particularidades de las relaciones: generalmente, los padres se sientan juntos y los hijos, a su alrededor. Una pareja de cónyuges conflictiva coloca a alguno de los hijos en medio de ellos, de la misma manera que un hijo sobreprotegido tiene poco espacio de distancia y movimiento entre el resto de los miembros, que se sientan en actitud vigilante. En otras ocasiones, las parejas en conflicto tienden a sentarse alejados entre ellos, *a varios hijos de distancia*; o un niño problemático se halla levemente distanciado del resto de los integrantes.

Los cónyuges con disensiones graves y rabia y tensión entre ellos se sientan en el sillón inclinando el cuerpo hacia el lateral contrario del *partenaire*. Una persona angustiada se encorva en su asiento y mira hacia abajo. Alguien huidizo y con resistencia a comprometerse se sienta tímidamente en el extremo de la silla, como dispuesto a marcharse de inmediato. Una mujer seductora intenta desviar la atención y centrarla sobre ella mostrando gallarda e intencionadamente sus piernas.

Muchos sujetos *hablan* a través del movimiento de sus manos; otros cruzan los brazos, o los mantienen rígidos a los lados del cuerpo. Hay quienes se acomodan en el sillón, apoyando el mentón sobre la mano en actitud reflexiva. Otros, en cambio, más tensos y en actitud vigilante, se sientan en el borde de la silla inclinándose hacia adelante, de modo que invaden el territorio del interlocutor.

Por ejemplo, existen personas que *anudan* su cuerpo, entrecruzando piernas y brazos en su modalidad de comunicación. En otros casos, estas posturas reflejan las reacciones a los temas planteados, constituyéndose en un termómetro, para el observador atento, de las situaciones que producen más dolor. Pero no son pocas las oportunidades en que los comentarios verbales resultan contradictorios con las actitudes corporales: mientras mantiene el cuerpo rígido, los brazos entrelazados y una postura casi genufléxica, la persona afirma: «Yo estoy bien, muy tranquilo, la verdad es que estoy muy relajado».

Otro estilo de comunicar se caracteriza por la transmisión verbal con un tono de voz exacerbadamente bajo, con lo cual los circuitos interactivos que se generan estarán formados por una serie de interlocutores que se acercan en actitud de querer descifrar lo que se escucha. Es algo así como tener a un grupo de personas a los pies, pendientes de entender lo que uno está diciendo y convirtiéndole así en el centro de atención. Pero ¿qué sucederá si alguien habla en ese mismo tono de voz?, ¿cuál será la actitud de la persona frente a semejante espejo, teniendo en cuenta que siempre encontró entre sus interlocutores personas que reaccionaban haciendo lo contrario? Curiosamente, esa imitación con frecuencia da como resultado que la persona se acerque con la misma reacción que genera en los otros e incluso alzando su tono de voz.

Otros sujetos hablan mucho y continuamente, sin respetar los espacios de silencio entre frase y frase. Su estilo de comunicación es un claro reflejo de un ritmo de vida acelerado y casi sin respiro. Esta particularidad puede ser imitada por el interlocutor, que, una vez que logra hablar con el mismo estilo, gana confianza y paulatinamente comienza a desacelerar su ritmo vertiginoso. Obtiene, de esta manera, la ralentización por parte de la persona no sólo de su estilo comunicacional, sino también de su ritmo de vida. Por otra parte, las expresiones de desconcierto, enojo, tristeza, inmensa alegría, etc., son también elementos añadidos al discurso que generan efectos en los interlocutores.

No podemos exponer aquí las numerosas manifestaciones del lenguaje analógico. Los ejemplos reseñados son solamente una muestra de las maniobras que recodifican y redefinen constantemente las acciones comunicativas de las personas, posibilitando el acercamiento o el alejamiento en la interacción.

Un cuerpo que se mueve

La comunicación paraverbal, entendiendo por tal los movimientos y la gestualidad (además de las cadencias y tonalidades que se imprimen sobre el discurso), está formada no sólo por los movimientos manifiestos, es decir, los visibles o expresos, sino también por una serie de micromovimientos casi imperceptibles para la conciencia. Un ejercicio simple que muestra tales sutilezas se observa cuando dos personas caminan por un mismo carril en direcciones contrarias y acaban cruzándose. Existe una percepción aguda que lleva a captar esos micromovimientos, que indican que uno debe desviarse hacia uno de los lados y el otro hacia el otro para no colisionar. Algo en el otro indica a la persona el flanco hacia el que deberá moverse. Si una de ellas titubea o se muestra dubitativa en el movimiento hacia dicho flanco, sin duda corren el peligro de chocar.

No parece difícil captar los macromovimientos, aquellos que se manifiestan de manera más evidente a la percepción, tales como movimientos de manos muy expresivos, miradas en dirección contraria al foco o miradas que se centran en el foco, posturas corporales de genuflexión, tonalidades de discurso que denotan agresión (por ejemplo, levantar la voz), acompañadas del gesto de fruncir el ceño (y obviamente verbalizaciones insultantes), giros del torso o de la cabeza, movimientos de hombros, etc.

Sin embargo, esta movilidad no es equiparable a movimientos en cuanto acciones, en términos de saltar, correr, desarrollar una actividad específica (cocinar, leer, trabajar, etc.), aunque forma parte de ellos. Las acciones están compuestas por una serie de movimientos definidos y sutiles, además del lenguaje verbal, que terminan de delinearlas, las complementan y también les otorgan sentido.

Más compleja es la captación de la movilidad sutil, compuesta por micromovimientos, muchos de ellos casi imperceptibles a la mirada. Existen, por ejemplo, cientos de músculos situados en torno a los ojos que dan el tipo particular de mirada en cada persona. Si estos músculos se anularan, la mirada se transformaría en lívida e inerte.

Alrededor de la boca se encuentra otro grupo muscular que le otorga expresividad a nuestro rostro (más allá de la risa o el desagrado, que competerían a los movimientos expresos). Los mismos labios encierran múltiples gestos y dependen de ese grupo muscular.

Un simple arqueo de cejas o fruncir los labios frente a la alocución de nuestro *partenaire* pueden desencadenar múltiples respuestas de acuerdo a la semántica que se proyecte en tales gestos, más aún si no se metacomunica. Por tal razón, resulta extremadamente dificultoso construir una hipótesis mínimamente acertada sobre la reacción de alguien sobre otro. No puede ponerse énfasis en lo verbal, ni en factores históricos intrapsíquicos o cognitivos, ni en atribuciones de significados, sin tener en cuenta la comunicación paraverbal. Son factores todos ellos que ponen la atención en el interlocutor sin involucrar al emisor en el circuito de interacción. Ésta es una versión intelectual o científica de la frase «Ver la paja en el ojo ajeno».

Y como se ve, si analizamos el hecho interactivamente (basándonos en la cibernética y la teoría de sistemas), es muy difícil dominar ciertos gestos que pueden crear una arrolladora reacción en cadena. Una movilidad sutil, por ejemplo un gesto mínimo, puede determinar una movilidad marcadamente expresa (movimiento de manos, gestualidad intencionada) y a ésta le pueden suceder las acciones consecuentes.

Un ejemplo representativo está descrito en una de las notas al pie del libro *Teoría de la comunicación humana* (1967). Se trata del caballo del señor Van Olsten. Este caballo, de principios del siglo XX, realizaba, ante la atónita mirada de los espectadores, cuentas de sumar sin equivocarse nunca en el resultado. Su dueño le decía en voz alta las cifras que debía sumar. El caballo, como respuesta, comenzaba a golpear el suelo con una de sus patas delanteras hasta llegar a la cifra exacta. Estudiosos y gente de toda condición intentaban denodadamente descubrir cuál era el truco.

Mientras tanto, la fama de Van Olsten y su caballo crecía. La relación entre dueño y animal era muy estrecha y afectiva. Un día, una serie de observadores lograron descubrir la trampa, que no era tal, ya que su dueño no lo hacía conscientemente: cuando los golpes del caballo se aproximaban al resultado correcto, Van Olsten realizaba un gesto, un micromovimiento o una postura corporal casi imperceptible al ojo humano para detener el golpeteo. El caballo, pendiente del lenguaje paraverbal de su dueño, captaba la información y detenía su movimiento en el resultado correcto.

Cuenta la leyenda que, dada la estrecha unión de Van Olsten con el animal, al escuchar y comprobar el descubrimiento, aquél enfermó de depresión y meses después falleció súbitamente. Más allá de la anécdota, es interesante constatar cómo captaba el caballo cierta motricidad sutil de su dueño, motricidad que resulta difícil de percibir para el ojo humano.

No son muchas las oportunidades en que somos conscientes de nuestro cuerpo. Somos un cuerpo, como afirman los investigadores de la Gestalt, y ocupamos un lugar en el espacio; esto es algo que se conoce de manera teórica, pero de lo que no somos conscientes. Por ejemplo, las personas se observan en el espejo pero no se *ven*. Evalúan en términos estéticos la vestimenta que llevan puesta, arreglan o cambian su peinado, protestan por su gordura o se alegran por los cambios en su silueta, pero estas descripciones no bastan para darse cuenta del lugar que ocupa el cuerpo en el espacio.

Siempre recuerdo a una paciente, Rebeca, que se comía ansiosamente las uñas a pesar de sus 44 años. «Me como las uñas» es una expresión bastante generalizada entre la gente que se dedica a esos menesteres, expresión que muestra la sensación de externalización de nuestro propio cuerpo y de que somos portadores de él, tal cual se posee un objeto. Todo cambió el día en que le pregunté cuánto tiempo hacía que se las comía: «¿Que me como las uñas?, ¿cómo que me las como?». El sentimiento que experimentó fue horrible, algo así como practicar antropofagia con el propio cuerpo.

Puede resultar de ayuda, a la hora de ser conscientes de nuestro propio cuerpo, constatar la resistencia que ofrece el medio ambiente a nuestros movimientos. El medio ambiente, por lo general, no puede oponer una fuerza mayor a la de nuestros movimientos. Sin embargo, intentar caminar en un día de fuerte viento, por ejemplo, hace que nos demos cuenta de que nuestro cuerpo ocupa un lugar; o el hecho de entrar y desear moverse por una piscina; o cuando se amasa y se hincan los dedos en la densidad de la masa. O simplemente cuando llegamos a una reunión e intentamos entrar en una habitación donde hay mucha gente y alguien se tiene que poner de pie y colocarse en otro sitio o salir de la habitación para hacernos un lugar; o cuando estamos en medio de una multitud y debemos abrirnos paso desplazando a la gente con los brazos, formando así un espacio en torno nuestro para poder avanzar; o, también, cuando improvisamos un sitio para sentarnos, o despejamos un área para nuestro cuerpo y nuestras cosas.

En lo que respecta a la conciencia de nuestro esquema corporal, cómo nos vemos y cómo nos ven no son siempre descripciones coincidentes. Muchas personas que han alterado una parte de su cuerpo por diversos motivos conservan en sus estructuras mentales secuelas que los marcan a fuego y determinan sus trayectorias vitales. Por ejemplo, en los trastornos de obesidad, a pesar de haber bajado de peso, esas personas continúan viéndose gordas.

Un caso interesante fue el de Begonia, una paciente de excelente figura que cada vez que se miraba en el espejo seguía viéndose como una mujer gorda sin cuello. Bien podría pensarse que se trataba de una exageración; sin embargo, cada vez que se miraba tenía la misma sensación, y efectivamente, eso era, una sensación, y no la imagen que le devolvía el espejo. Pero ¿cómo era posible que teniendo tan bella figura viera la imagen de una mujer gorda sin cuello? Más interesante (e impactante) resultó cuando Begonia trajo las fotografías del período trágico de su vida; en esa época sus padres se habían separado y ella recurrió a la gordura para desviar la atención de la conflictiva relación con sus padres.

Otro ejemplo interesante es el de Roque, quien, como consecuencia de un accidente que sufrió en la pubertad, tenía la pierna izquierda *levemente* más corta, pero él la percibía como *mucho* más corta y se creó la imagen de un minusválido. Por lo tanto, se apartó socialmente, se marginó a sí mismo, no formó pareja y no quiso continuar sus estudios. A pesar de ser un hombre bien parecido e inteligente vivía con una eterna sensación de desvalorización que lo volvió introvertido, solitario, y que bloqueaba su crecimiento personal.

No menos trágico fue el accidente de Felipe, que cuando era adolescente sufrió graves quemaduras en parte de sus extremidades (piernas y brazo izquierdo) al incendiarse su casa. Hasta muy tarde en su vida no se atrevió a desvestirse en una playa y menos aún frente a una mujer. Esto retrasó notablemente sus relaciones amorosas, su iniciación sexual, sus estudios, su entrada en el mundo laboral y sus relaciones sociales, y se convirtió en un muchacho consentido y sobreprotegido por su madre.

Lo cierto es que nuestro cuerpo no sólo tiene volumen, sino también presencia, y no presencia inerte, sino articulada. Este volumen y presencia articulada influyen tanto en la relación con los objetos como, sobre todo, con las personas. Cuando necesitamos ocupar un espacio, si éste no se encuentra preparado para nuestro cuerpo, es necesario hacerse un lugar.

Cada vez que nuestro cuerpo se relaciona con otros cuerpos los influencia y es influenciado por ellos. Esta influencia responde al volumen de los cuerpos y a dicha presencia articulada. Si yo poseo un cuerpo diminuto, probablemente me sentiré intimidado por el tamaño de un cuerpo voluminoso, por ejemplo, por alguien musculoso y de dos metros de altura. Si una mujer es extremadamente alta y de complexión fuerte, sentirá que es gorda al lado de su compañera delgada y muy pequeña. Estas percepciones están basadas solamente en el volumen, es decir, en el lugar que ocupa un cuerpo en el espacio.

La complejidad se incrementa cuando hablamos de presencia articulada, esto es, cuando a esos cuerpos (como en los dos ejemplos anteriores) le sumamos gestualidad y postura. Entonces, las sensaciones de intimidación pueden relativizarse. Los grandes volúmenes, lejos de provocar sensaciones de infravaloración en el otro, pueden equilibrarse mediante la gestualidad y la actitud corporal, e inclusive hasta parecer más pequeños que un cuerpo diminuto. De lo contrario, Al Capone, Adolf Hitler, Benito Mussolini, Francisco Franco, todos ellos de baja estatura, no hubiesen logrado imponer el lamentable y nefando poder que ejercieron. Y Mahatma Gandhi, Amadeus Mozart, Franz Kafka (no por su altura, sino por su actitud corporal), Toulouse Lautrec, entre otros genios, no hubiesen descollado en sus respectivos campos de acción.

Volúmenes corporales, gestualidad y posturas (lo que llamamos presencia articulada) delimitan movimientos, movimientos que se hallan pautados por el contexto, aunque la complejidad es aún mayor: el contexto posee reglas que codifican hasta dónde pueden actuar las personas. También los objetos marcan las fronteras del movimiento; por ejemplo, debo moverme hasta una determinada distancia con una cierta velocidad para alcanzar un determinado objeto. Debo moverme esquivando con gracia y equilibrio los objetos que me rodean. De hecho, cuando los niños crecen abruptamente o, más precisamente, cuando un púber salta a la adolescencia y *pega el estirón*, se vuelve torpe en la conducción de su cuerpo, choca con los objetos, se le caen, emplea su fuerza desproporcionadamente, etc. Se ha alterado su esquema corporal y, en consecuencia, su registro de distancia y equilibrio. Estaba acostumbrado a un volumen corporal y ahora es otra la dimensión que debe manejar.

Gestos que dicen

El gesto se define como un movimiento o disposición de las manos, del rostro, de las extremidades o de otras partes del cuerpo, que son utilizados para establecer comunicación con otros seres humanos en relación directa e inmediata. La gestualidad puede considerarse como un movimiento expresivo de contenidos psíquicos en tensión, es decir, son movimientos musculares que buscan su descarga. Y lo consiguen, tanto si son gestos voluntarios, revestidos de intencionalidad, como involuntarios, producto de un dinamismo inconsciente.

Las mímicas o gestos, en general, se presentan con un alto nivel de complejidad que escapa a la posibilidad de delimitarlos de manera precisa. Es tal la sinergia de micromovimientos casi imperceptibles para la captación consciente, que resulta sumamente dificultoso realizar una percepción abarcativa y completa del universo gestual.

Pero, además, cada gesto tiene una semántica, la cual, por cierto, es diferente en cada comunicador. Existen ciertos clichés que, como gestualidad prototípica, bien pueden observarse en cómics, historietas, en los rostros con expresiones que se transmiten vía e-mail en Internet, en las anotaciones de gestos incluidos en libretos de teatro, etc. Por ejemplo, las cejas arqueadas hacia abajo y frunciendo el ceño indican enojo; la boca en forma de herradura invertida, enojo, aburrimiento; la boca en forma de herradura hacia arriba, alegría; el arqueo de cejas hacia arriba, alegría, sorpresa; el estrabismo, locura; el guiño de ojos, seducción, picardía; fruncir mejillas y ojos, dolor; los ojos semicerrados, sueño, entre otros.

No quiere esto decir que estos estereotipos sean totalmente válidos; más aún: cuando son introducidos en la comunicación real pueden llevar a la confusión, ya que cada emisor tendrá sus peculiaridades gestuales y no necesariamente reproducirá la semántica estipulada socioculturalmente. Estos clichés analógicos competen a realidades de primer orden,[2] y ¿quién es capaz de observar objetivamente en lugar de mediante su propia subjetividad el gesto del compañero?

La responsabilidad de codificar la gestualidad no recae únicamente en la semántica del observador. El individuo, consciente o inconscientemente, transmitirá su sentimiento, su emoción, sea cual fuere (agrado, disgusto, etc.), mediante un gesto. Está en manos de su interlocutor acercarse o no a la significación correcta. El resultado, entonces, se deriva de la amalgama de reciprocidades cibernéticas que se crean en la interacción.

Los gestos, por tanto, tienen un portador de su semántica (el emisor), y la *intuición* del receptor es la vía

2. Paul Watzlawick diferencia de manera gráfica dos tipos de realidades: la realidad de primer orden y la de segundo orden. La primera se identifica con la realidad del convenio sociocultural. Cada contexto, más allá de la universalidad de ciertos contenidos, pautará sus propios contenidos y hasta algunos significados. La realidad de segundo orden es la realidad de los sentidos, la individual, la que cada persona atribuye a cada cosa. Por ejemplo, todos pueden reconocer el objeto mesa. *Mesa* es el nombre con que ese lenguaje y esa cultura designaron al objeto. Pero cada sujeto le atribuirá su propia semántica de acuerdo a su mapa cognitivo personal.

que le posibilita codificarlos en mayor o menor medida. Los gestos son expresiones, y además expresiones naturales. Sin duda que, como parte de la comunicación, lo analógico tiene su origen y evolución en la sinergia de múltiples factores: biológicos, neurofisiológicos, bioquímicos, psicológicos, endocrinológicos, cognitivos (por identificación), familiares históricos y actuales (por codificaciones gestuales del entorno familiar), sociológicos, interaccionales y contextuales (ambiente). Pero es innegable que los elementos interaccionales actúan por imitación e identificación. Muchos de los numerosos gestos que exhibe el ser humano se introducen en la cognición y en la pragmática de las acciones debido a movimientos de todo tipo, principalmente por parte de figuras parentales en el seno de la familia de origen y, posteriormente, en grupos secundarios.

No obstante, existen gestos muy primarios como los que expresan dolor, llanto, los labios en forma de herradura (*hacer pucheros*), que son espontáneos y que no se derivan de la identificación, ya que no puede decirse que un bebé en sus primeros días de vida, cuando cobra relevancia la gestualidad descrita, imite a sus progenitores. O sea, que el lenguaje analógico, el más antiguo de los lenguajes, excede en algún aspecto el marco de lo contextual y por consiguiente el ámbito de las interacciones y vínculos. Por tanto, será más sencillo expresar o crear un gesto cuanto más primario y menos elaborado sea lo que transmite.

Los movimientos gestuales se extienden y manifiestan por todo el cuerpo, pero se centran mayoritariamente en el *rostro,* si bien no dejan de tener importancia los movimientos del tronco y las extremidades. Entre los movimientos del tronco cabe citar, entre otros, los siguientes: torsiones, flexiones de cintura, alzar o bajar los hombros o bajar uno y subir otro, henchir o hundir el pecho, encogerse de hombros, encorvarse, estirarse, agacharse, sentarse, ponerse de pie y las formas y el estilo de caminar (rápido, lento, rígido, a saltos apoyando la punta del pie, meciendo el cuerpo a ambos lados, moviendo demasiado los brazos, etc.). Por ejemplo, dar la espalda, en muchos países occidentales, es un signo de rechazo y descalificación.

En las extremidades son importantes las flexiones y el estiramiento de piernas, el estiramiento o flexión de brazos, cruzar o descruzar las piernas, sentarse con las piernas abiertas o cerradas, mover repetidamente una pierna o un pie (temblequeo), doblar una pierna y estirar la otra, maniobrar solamente con una pierna o un brazo, sentarse inclinado hacia adelante en el extremo de la silla, sentarse recostado, mantener el peso del cuerpo sobre una pierna que está en tensión, mientras la otra descansa.

Pero, en cuanto a las extremidades, las manos son las grandes estrellas. Las manos son instrumentos corporales sumamente expresivos e indispensables para la vida útil del ser humano; y no sólo las manos, sino también los dedos.

La gesticulación con las manos en general acompaña y acompasa a las verbalizaciones, y así, como grandes directoras de orquesta, se mueven cadenciosamente o de manera impulsiva. Diseñan en el aire las figuras que se explicitan con palabras, o aparecen inmóviles y pasivas cuando se trata de personas con rasgos de timidez o rigidez en su personalidad; se cierran como puños y golpean una puerta o una mesa; expresan triunfo alzando dos dedos en forma de V, o deseos de buena suerte levantando el pulgar.

Con el puño cerrado y el dedo índice al frente, se señala; se forma un círculo con el índice y el pulgar en señal de «ok»; el puño cerrado con el pulgar por encima indica agresión; si se agita la mano con todos los dedos extendidos es señal de pregunta. Las manos saludan moviéndose de derecha a izquierda o apretando la mano del interlocutor. Además de todas las funciones indispensables para la supervivencia que desarrollan (comer, agarrar, manejar objetos, etc.), las manos abrazan y acarician expresando afecto y seducción, o golpean mostrando agresión.

Por lo general, los movimientos del rostro componen una gestualidad sutil, dada la gran cantidad de pequeños músculos que lo conforman. Los ojos, la frente y los labios son las tres zonas de mayor relevancia gestual facial. La articulación de esas tres áreas, que operan organizadamente, produce un cúmulo de gestos sumamente expresivos a la hora de comunicar. Y no sólo en lo que concierne al ejecutor del gesto, sino también para el interlocutor. El *partenaire* comunicacional tiende a focalizar su mirada en el rostro del compañero. Por lo tanto, palabra y gestualidad facial se unen a la vista de un interlocutor ávido de entender lo que intenta transmitir el emisor.

Alrededor del globo ocular, concretamente en los párpados, los pómulos y las bolsas de los ojos, hay una serie de micromúsculos que otorgan a la mirada un sesgo particular, hasta tal punto que, si se anestesiara esa zona, la mirada sería fría e inexpresiva, casi *mortuoria*, o como el típico rostro de una muñeca de porcelana. Los ojos pueden entrecerrarse en la seducción y en el sueño, abrirse al máximo ante la sorpresa, mirar hacia arriba en la reflexión, observar hacia abajo en la tristeza, fruncirse junto con mejillas y pómulos en la confusión, la concentración y el esfuerzo; se pueden fruncir las ojeras y la nariz en una típica expresión de que algo huele mal o como señal de descalificación (si no es que realmente hay mal olor en el ambiente), y los pómulos parece que se colocaran *en punta* en la agresión.

La frente presenta diversas modalidades de gestos, aunque todos ellas giran en torno al movimiento de contracción-expansión. Muchas de estas gestualidades se articulan en complementariedad con la mirada. Se frunce el ceño como expresión de enojo, dolor de cabeza, o mal humor, y se expande para indicar sorpresa. En el caso de la seducción, se levanta una ceja, y en la expresión de rabia se frunce la frente y las fosas nasales se abren.

La mímica labial desempeña un papel relevante en el rostro, principalmente porque los labios son el lugar de la gesticulación de la palabra. Es decir, que además de una semántica expresiva, hay una gestualidad que acompaña a la alocución. Los labios expresan afecto mediante el beso, seducción mediante la intervención de la lengua, alegría por medio de la risa, sarcasmo cuando se frunce uno de sus extremos, tristeza cuando adoptan forma de herradura invertida, dolor cuando se fruncen totalmente, enfado cuando se muerden, duda cuando se superpone el labio inferior al superior y las cejas se elevan.

Como se ve, solamente hemos seleccionado una serie de gestos como ejemplos del lenguaje analógico. Podría redactarse un *tratado de la gestualidad*, ya que existen infinitos tipos de mímicas, posturas y demás elementos del universo paraverbal, que, a su vez, se encuentran asociados a múltiples explicaciones.

Hay un espacio entre comunicadores

De la misma manera, el volumen corporal y la presencia articulada de otros cuerpos constituyen una coreografía que intenta complementarse equilibradamente. Es la interacción en ese contexto regido por sus propias reglas, la que pauta los límites de, por ejemplo, cuándo y hasta dónde un cuerpo se acerca o se aleja de otro. Si un cuerpo toca a otro, ¿cuánto lo toca, qué zonas toca, cómo lo toca?, ¿tiene prohibido tocar el otro cuerpo?, etc.

Pero, además de las pautas del contexto, también se encuentra la microgestualidad —de la que forma parte la presencia articulada—, que invita, rechaza o simplemente demarca el perímetro de contacto con otro cuerpo. Quiere esto decir que la simple presencia de los interlocutores pauta las conductas propias y las del *partenaire*. Un cuerpo sin movimiento, casi petrificado como una estatua, genera en el otro el estímulo necesario para la respuesta. Ésta parece ser una de las razones que avalan el primero de los axiomas de la comunicación humana, «Es imposible no comunicarse», ya que tanto la inmovilidad corporal como el silencio se constituyen en *feedback* en la interacción.

Y esto acaba siendo un callejón sin salida cuando se intenta establecer hipótesis acerca de por qué alguien mostró cierta actitud respecto a otro. Debido a la gran cantidad de gestos que son imperceptibles para el protagonista de la situación, cuando se nos cuenta la historia de lo sucedido, obtenemos solamente versiones parciales (además del sesgo cognitivo que se impone al relato). Aunque reuniésemos al resto de los protagonistas de la historia, obtendríamos sólo más versiones de la misma escena. Si bien el conjunto de las mismas proporcionaría una versión más completa, no dejaría de ser una versión.

Una de las tácticas en psicoterapia familiar que ayuda a mejorar la interpretación de lo que sucede consiste en invitar a la sesión al resto de los participantes del sistema en el que se creó el problema y animarlos a interaccionar entre ellos o esperar a que interaccionen espontáneamente, con el fin de reunir la mayor cantidad de información posible, encontrar puntos de convergencia y aclarar los divergentes. Así, la versión última podrá ser más o menos acorde con la real.

Pero todas estas gestualidades, expresiones corporales, movimientos que se producen entre volúmenes de cuerpos, se desarrollan en un espacio entre comunicantes que se halla delimitado. Un espacio que establece la distancia óptima para que dos o más personas establezcan un diálogo. Hall (1966) analiza la utilización del espacio y el movimiento en función de la proximidad o alejamiento relacional y clasifica las distancias en cuatro tipos:

1. *Distancia íntima*: implica una distancia de cercanía afectiva. Es la distancia en la que se conduce una pareja en una relación amorosa, o un padre que acaricia a su hijo en la relación materno-filial. Es una aproximación que permite la fusión de los interlocutores y, en cierta medida, rompe los límites del territorio personal.

2. *Distancia personal*: es una distancia de cercanía pero en la que los interlocutores mantienen sus fronteras personales. Es decir, los límites personales no desaparecen, sino que están claramente definidos. Es la distancia de las relaciones interpersonales que se establece tácitamente entre amigos, familiares o compañeros de trabajo. También de dos personas que tienen un objetivo o interés en común.
3. *Distancia social*: en este tipo de distancia no existe el contacto físico. Prima la mirada, que pasa a ser el único tipo de vínculo. No se trata de una relación impersonal, pero existe un espacio y una distancia de protección frente a eventuales invasiones o intromisiones del interlocutor. Es la distancia óptima en situaciones de negociación y venta. Por lo general, el espacio entre interlocutores se ocupa con escritorios, escaparates, mesas, objetos que imponen la distancia entre los comunicantes. En las consultas psiquiátricas tradicionales, por ejemplo, es la clásica *distancia terapéutica* que se establece mediante el escritorio, la bata blanca, etc.
4. *Distancia pública*: es la distancia de las relaciones formales. No hay intimidad y menos aún un vínculo personal. Se pierde cualquier tipo de relación directa y es la distancia típica del conferenciante o del catedrático.

En los tres últimos tipos de distancias, hemos observado que el espacio entre interlocutores oscila entre 60 y 80 cm, que no es sino el ancho que tienen las puertas o ciertos corredores o pasillos. Nótese, entonces, que la arquitectura expresa en cierta manera estilos de vida e interacción. Tanto en el diseño de una casa de acuerdo con los requerimientos particulares de una familia como en los diseños impersonales en la construcción de bloques de viviendas, las puertas interiores en general son más estrechas de las que dan al exterior. Las puertas interiores modernas, así como los corredores, rondan los 65 o 66 cm de ancho, mientras que las de entrada miden aproximadamente 90 cm. En cambio, las construcciones de la primera mitad del siglo XX se caracterizaban por puertas interiores más anchas que las actuales y las exteriores de doble hoja.

Cabe hipotetizar que en la actualidad, a pesar de que vivimos tiempos de relaciones más impersonales, se han reducido las distancias personales, sociales y públicas. Aunque en las primeras décadas del siglo pasado las interacciones eran más cercanas y de mayor conocimiento (vecinos de barrio, visitas a amigos y familiares, etc.), se imponía una cierta distancia formal, de modo que, por ejemplo, se eludía el contacto físico y el trato de usted estaba generalizado. Como en las puertas, la distancia relacional era mucho mayor que en la actualidad.

Pero la distancia relacional depende de cada contexto sociocultural. Cada cultura impone un tipo de espacio entre comunicantes. En ciertos contextos la distancia social es menor, equivalente a la distancia íntima en otras culturas. Esto puede crear malentendidos entre personas pertenecientes a contextos antagónicos relacionalmente, más aún en los casos en que la forma de acompañar la palabra es el contacto físico.

Un ejemplo, al que hace referencia Paul Watzlawick (1980), muestra tales diferencias. Una serie de investigadores analizaron lo que estaba sucediendo en el aeropuerto de Río de Janeiro. El aeropuerto poseía una terraza con una baranda no muy elevada, lugar por donde habían caído varias personas en los últimos años. Estas personas eran extranjeras, principalmente europeas, que tenían relación con personas brasileñas.

Esa terraza era el centro de reunión en los recibimientos y despedidas. Lo que descubrieron los investigadores fue que, cuando los brasileños entablaban un diálogo con los europeos, al ser su distancia social más reducida —tal vez equivalente a la distancia íntima de los europeos—, éstos comenzaban a apartarse a fin de establecer el espacio óptimo para la relación. Iniciaban así una marcha hacia atrás ampliando la distancia, a lo que los brasileños respondían avanzando para buscar su propia distancia social. De esta manera, muchos de los europeos terminaban precipitándose por la baranda hasta la planta baja del aeropuerto.

Un detalle interesante y representativo es el tipo de saludo que se emplea en un encuentro entre personas de acuerdo al contexto sociocultural al que pertenecen, más allá de las particularidades de cada región, familia o grupo social. Por ejemplo, cuando se reúnen individuos que ya se conocen y tienen cierta relación afectiva, es común en Francia que se saluden con tres besos, tanto si se trata de hombres como de mujeres. En España los hombres se dan la mano, o a lo sumo un abrazo, mientras que las mujeres, ya sea a otras mujeres o a hombres, dan dos besos. Los rusos, en cambio, pueden besarse en la boca, independientemente del sexo de la persona. Los italianos estrechan la mano, tanto entre hombres y mujeres como entre hombres, y si se produce un encuentro tras mucho tiempo sin relación se dan un abrazo. En Chile, más formalmente, se saludan con la mano entre hombres y con un beso entre hombres y mujeres. Igualmente sucede en Perú y Bolivia.

En Marruecos, las mujeres se cubren, mostrando solamente los ojos y los tobillos, y caminan distanciadas del hombre; y por supuesto, nunca se les ocurriría mostrar afecto en público. Los hombres y mujeres orientales, principalmente los chinos, caminan distanciados: el hombre, uno o dos metros por delante de la mujer; y se saludan con una típica reverencia sin contacto físico.

En Argentina, en Buenos Aires particularmente, la forma de saludar ha variado notablemente en términos de acercamiento físico. La máxima distancia física se ha observado en las familias de comienzos del siglo XX, en las que el padre, por lo general, daba la mano a sus hijos y a veces hasta se trataban de usted. En el ámbito social, los hombres se saludaban con el típico apretón de manos y a veces se utilizaba esta forma entre hombres y mujeres, mientras que las mujeres se saludaban con un beso.

En el transcurso de los últimos treinta años, los hombres que tenían algún tipo de relación afectiva con otros hombres (familiares, amigos) comenzaron a saludarse con un beso, mientras que el saludo con la mano quedó reducido a los primeros encuentros. Antes, lo que demostraba que había cierta intimidad afectiva era el saludo con un beso. En la actualidad, hombres que no se conocen acostumbran a saludarse con un beso ya desde el primer encuentro. Éste es un estilo más extendido entre adolescentes que entre adultos, especialmente entre hombres que pertenecen a la generación de la década de 1940 y 1950. Además, entre personas relacionadas afectivamente ha aumentado el contacto corporal mediante el abrazo.

Es notable, en lo que respecta al contacto físico, el mayor grado de flexibilidad y menor inhibición que presenta la mujer con otras mujeres, frente a las actitudes que muestran los hombres entre ellos. Pero al mismo tiempo que mostraban más acercamiento físico entre ellas, las mujeres —y más aún las de la generación de la década de 1960— establecieron una distancia física mayor respecto a los hombres. Por otro lado, a partir de la década de 1960 se desestructuraron una serie de estereotipos femenino-masculinos que fueron socavando los prejuicios victorianos que imperaban principalmente en la sexualidad y llevaron, entre otras cosas, a que la mujer tomara más iniciativa en los juegos seductores con el hombre. Sin duda, este tema requiere un mayor y más agudo desarrollo que una simple mención y, pese a no ser el tema de este ensayo, cabe realizar algunas reflexiones.

Por ejemplo, las mujeres no sólo se saludaban con un beso sino que, además, podían caminar por la calle agarradas de la mano o del brazo. Esta actitud se identificó hasta tal punto con una actitud típicamente femenina, que resultaba inconcebible que dos hombres caminaran de la mano o del brazo. De producirse, bien podía calificarse de actitud homosexual. Del mismo modo, en la distinción de sexos, al hombre se le identifica con la racionalidad y la distancia afectiva, mientras que se asocia a la mujer con la sensibilidad y la expresión afectiva.

Todas estas discriminaciones conllevan distinciones que acentúan o bloquean las manifestaciones afectivas en lo que respecta al contacto corporal. Quiere esto decir que ciertas reglas que impone el contexto hacen que se posibilite o no la plasticidad en el desenvolvimiento corporal. El contexto, en cierta medida, veta o estimula el contacto. En la familia, los padres reproducen las pautas del medio en el que están insertos y las recrean desde los primeros momentos de la interacción con sus hijos. De este modo se conforman los códigos relacionales afectivos que competen a cada familia en particular, pues ésta reproduce en su seno tales estereotipos sociales.

Existen familias cuyos patrones de interacción emocional les llevan a expresar el afecto corporalmente, pero de forma limitada. Se resisten a abrazar, besar, acariciar o simplemente a mirarse a los ojos y manifiestan sus afectos con medios materiales. Son esas familias en las que el «te quiero» se expresa materialmente mediante el regalo o en formas equivalentes tales como viajes, ropa, dinero, flores, etc. Otras expresan afecto por medio de la palabra. No se *regalan*, pero se dicen cuánto se quieren, aunque nunca se abrazan ni se besan, ni, por supuesto, se acarician. En algunas el código afectivo está representado por acciones. Los integrantes de la familia hacen cosas por los otros: se ayudan entre sí, realizan favores, detectan lo que el otro necesita, están pendientes del otro. En cambio, existen familias que no muestran inhibición alguna frente al contacto físico y logran expresarse emocionalmente acoplando el cuerpo en la manifestación.

Resulta evidente que la manifestación afectiva más saludable vendría dada por la convergencia entre la multiplicidad de formas de expresión y el hecho de que los integrantes de una familia pudiesen encontrar el canal más adecuado para cada situación. Pero siempre predomina un estilo. Este estilo es el que se tiende a reproducir, ya sea por oposición o por similitud con el patrón referencial de contacto de la familia de origen. Quiere ello decir, entonces, que los humanos tendemos a identificarnos incorporando y reproduciendo en otras relaciones (principalmente en la familia creada) tales estereotipos.

Un elemento que debe tenerse en cuenta es la articulación entre la distancia íntima y el contacto físico. Sería esperable que, en tanto la distancia implique mayor grado de intimidad, el contacto corporal se acreciente, y en consecuencia, si el espacio interaccional se ensancha, el contacto físico disminuirá. Si bien esta regla se cumple en la mayoría de las personas, no obstante, numerosos son los casos en que, pese a la cercanía e intimidad, se tienen dificultades para expresar el afecto o comunicarse de manera física. Paradójicamente, a pesar de que los seres humanos utilizamos el lenguaje corporal desde épocas inmemoriales, el contacto por este medio se encuentra disminuido. A la gente, en general, le resulta más sencillo expresar afecto mediante regalos o, en ocasiones, de manera verbal; pero se resiste a dar un beso o entregarse en un abrazo.

Resulta extraño, y hasta ilógico, que siendo el lenguaje corporal y el sentido del tacto elementos constitutivos del ser humano, aparezcan como recursos que se atrofian debido a la preeminencia de la palabra o de los objetos en un mundo que otorga relevancia a todo lo material. Muchas personas, a la hora de abrazar, palmean la espalda de manera amistosa, casi protocolariamente, o distancian su cuerpo reduciendo el contacto a los brazos. Otros, al saludar con un beso, *ponen la cara*, o evitan el contacto mejilla con mejilla y terminan besando al aire, mientras el beso del *partenaire* termina en su oreja. Éstos son estilos que lindan con la *fobia al contacto* y ocupan una posición ambivalente en la manifestación afectiva.

En este sentido, no podemos catalogar a ciertos sujetos como fríos, duros o distantes al enfrentarse a situaciones de alto voltaje emocional. Más bien se trata de personas que se resisten a expresarse afectivamente, o se inhiben, o se defienden (¿de qué, de quién?) colocándose un manto gélido hiperprotector. Aunque debe aclararse que estas apreciaciones son realizadas bajo el marco de un contexto sociocultural que asocia contacto físico con acercamiento afectivo. Pero, teniendo en cuenta las diferentes culturas, esta asociación no siempre puede proponerse como una premisa general. Un ejemplo de esto lo encontramos en los japoneses:[3] limitan el acercamiento físico; sin embargo son respetuosos, serviciales, afectuosos, lo cual denota proximidad afectiva. Por tanto, su actitud bien podría tomarse como un ejemplo de lejanía física pero cercanía afectiva, desestructurando así el estereotipo según el cual los diferentes grados de cercanía física implican afectividad de mayor o menor intensidad, mientras que la lejanía física, que puede llegar al temor al contacto, sugiere frialdad afectiva.

Con todo, la gestualidad de rostro, tronco y extremidades, el uso del espacio y las acciones con que nuestro cuerpo se conduce, hacen que el lenguaje paraverbal se constituya en un elemento espontáneo de transmisión de mensajes, un recurso que se margina o queda relegado a un segundo plano frente al lenguaje verbal. Las personas no sólo escuchan, sino que también observan

3. Juan Luis Linares, comunicación personal.

mientras escuchan. La necesidad de ver al interlocutor mientras se habla pocas veces es consciente, es decir, no somos conscientes de que necesitamos tener a la vista a nuestro interlocutor para comprender en toda su dimensión el mensaje que nos intenta transmitir.

En un ejercicio de comunicación ideado por Virginia Satir, maestra y cocreadora de la terapia familiar sistémica, se juega con diferentes posiciones corporales a la hora de transmitir un mensaje o establecer un diálogo. Se comienza con la comunicación tradicional de dos personas situadas frente a frente a una distancia de 60 cm. La gente se comunica normalmente, está cómoda con su postura corporal, su tono de voz, su percepción de la otra persona. La siguiente posición es de espaldas. La gente intenta comunicarse pero tienen que subir el tono de voz y, sobre todo, giran la cabeza para poder ver a su interlocutor. Aquí se constata la necesidad de registrar la gestualidad para que la comunicación sea completa.

Ni que decir tiene que, cuando se acerca demasiado a los interlocutores, éstos no logran identificar claramente los gestos y deben bajar la voz hasta reducirla casi a un susurro; y cuando se les aleja superando la frontera de los 60 cm (5 m y más), los gestos deben agudizarse en menoscabo de la palabra, dada la escasa audición. Todo parece evidenciar que, si la mirada hacia la gestualidad no está presente, hay dificultades en la comunicación. El lenguaje verbal, reglado y pautado, y el lenguaje paraverbal, espontáneo y natural, son dos elementos situados en el epicentro de la comunicación. Ambos, como en la dialéctica del amo y del esclavo de Hegel, se necesitan mutuamente.

Capítulo 5

COMPLEJIDADES Y COMPLICACIONES COMUNICACIONALES

Siguiendo estas premisas, en el cuadro 1 (página siguiente) se pueden apreciar algunos mecanismos que se activan a la hora de comunicar. El cuadro describe los elementos que intervienen en el proceso comunicativo entre un emisor y un receptor.

El emisor posee una idea, una construcción ideacional que intentará traducir en palabras. Por lo general, nuestras representaciones mentales se encuentran estructuradas en forma de palabras. En los diferentes procesos de aprendizaje que tienen lugar a lo largo de los diversos ciclos evolutivos, asimilamos, acomodamos y organizamos la información, por lo que se suele asociar arbitrariamente representación mental con palabra.

Como hemos señalado anteriormente, la descripción que realiza Ferdinand de Saussure (1984) del signo lingüístico —compuesto por imagen acústica y concepto— permite observar que las significaciones de la palabra competen a construcciones de primer orden, es decir, a construcciones consensuadas a partir de los

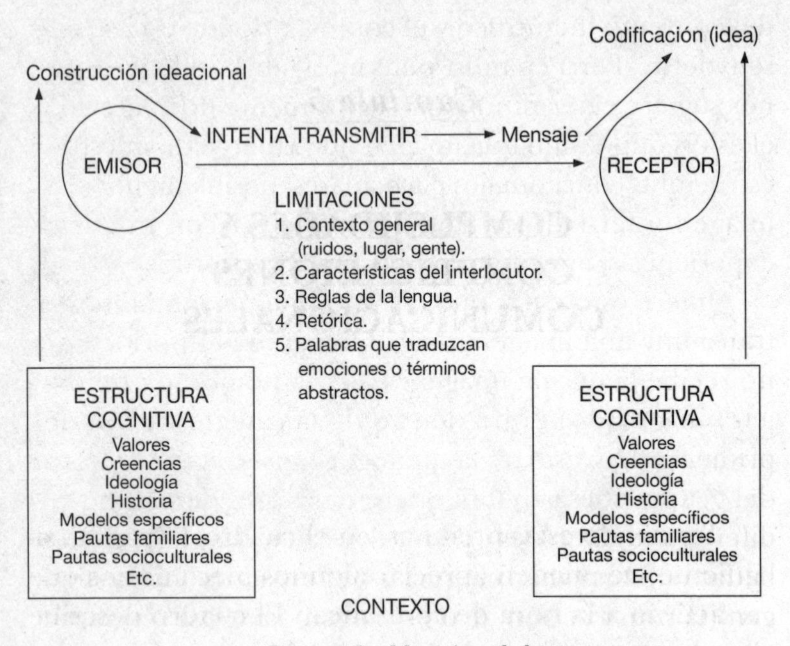

CUADRO 1. *Mensaje verbal*

criterios contextuales socioculturales de la lengua a la que pertenecen los vocablos, aparte de las particularidades lingüísticas de determinados países. Por ejemplo, el castellano que se habla en España no es el mismo que el de Perú, Chile o Argentina. Aunque básicamente la estructura gramatical y sintáctica es la misma, existen diferencias en la semántica y en la aplicación de ciertos términos.

Pero no debemos dejar de lado las significaciones de segundo orden, aquellas semánticas particulares que irrumpen sobre la sintaxis con imágenes acústicas y conceptualizaciones propias. Nadie puede negar que el estereotipo de la palabra *mesa* es una tabla con cuatro patas. Esta construcción ideacional compete al terreno del convenio lingüístico y el contexto donde éste se desenvuelve. Pero cuando pensamos en la imagen que nos sugiere el término *mesa*, seguramente no aparecerá el estereotipo, sino una imagen que emerge de nuestras estructuras conceptuales particulares, posiblemente una imagen internalizada que tiene que ver con nuestras experiencias, anecdotario personal y recuerdos.

Quiere esto decir que cuando una persona intenta transmitir una imagen, probablemente el interlocutor no recibe la misma imagen. La cosa nombrada (el objeto imaginado) entra dentro de la categorización de primer orden, esto es, la tipología consensuada. Dentro del grupo «mesa» habrá diferentes clases de mesas (de diferentes materiales y formas), pero todas están englobadas en la misma categoría, y el envío de cierta imagen (la construcción de una imagen de mesa) responde a la selección de una de esas clases, la cual obedece a motivaciones diversas tales como la historia, los gustos, la estética, las preferencias, el anecdotario, las experiencias infantiles, etc. Lo que recibe el receptor es la palabra consensuada, no la imagen fiel que envió el emisor, a menos que éste la explicite.

Todo este desarrollo remite a la imagen acústica que, como se observa, muestra un grado importante de relatividad y subjetivismo en su traducción. El mismo fenómeno sucede con la semántica. El significado de las palabras no puede quedar acotado con criterios de primer orden porque, además, existen términos que poseen múltiples significaciones. En palabras que nombran objetos concretos pueden coexistir diversas posibilidades de uso. En nuestro ejemplo, una mesa puede ser utilitariamente definida como un objeto que sirve para comer, aunque también se utilice como escritorio, pequeña superficie esquinera para apoyar una lámpara, etc. Si un objeto concreto conlleva diferentes semánticas, aún más contienen los términos abstractos que expresan, por ejemplo, sensaciones, emociones, etc. Palabras como fidelidad, felicidad, alegría, verdad, tristeza, amor, tienen mayor número de significaciones, dada la poca concreción de las mismas. Y es que tales palabras poseen escasa delimitación: resulta imposible delimitar sus configuraciones ideacionales —¿cómo puede construirse concretamente la imagen de *mentira* o *deseo*?—; de ahí que, si bien pueden tener cierto patrón de referencia, los perímetros semánticos son vastos e inciertos.

Por tanto, en el acto de comunicación, el emisor *intenta transmitir* algo, y aquí el término *intenta* no es azaroso: resulta una falacia creer que la idea que se desea comunicar se puede reproducir fielmente mediante palabras. Como todo ser humano, el emisor, desde su estructura cognitiva y mediante su sistema de creencias, escala de valores, experiencias personales, normas familiares y socioculturales, modelos disciplinares, ideología, etc., que contienen gran cantidad de semánticas, construye una idea que, en cuanto estructura conceptual, da cuenta de su modelo de conocimiento. En este intento de transmisión, el lenguaje verbal encuentra una serie de elementos que limitan el libre flujo de las construcciones sintácticas. Por ejemplo:

1. La lengua en la que se comunican el emisor y el receptor se encuentra con una serie de signos lingüísticos que no logran abarcar completamente la génesis de la idea de manera pura y absoluta.

2. Las limitaciones de la retórica del emisor dentro de la lengua que habla. Es decir, el repertorio de recursos lingüísticos que utiliza el emisor en la emisión o el receptor en la codificación es rudimentario.
3. Las limitaciones que imponen las características del contexto donde se desarrolla la interacción. El contexto impone ciertas reglas que influyen en la comunicación, la pautan, y lejos de estimularla, la limitan. También puede haber sonidos ambientales que afecten a la comunicación; por ejemplo, si se oyen ruidos, o si por el contrario reina el más completo silencio, si en el lugar hay muchas personas que tratan de hablar al mismo tiempo, música fuerte, etc.
4. La persona del interlocutor y sus características: puede presentar rasgos psicopáticos o censuradores, o caracterizarse por un estilo persecutorio, maltratador o descalificador.
5. La dificultad que implica verter en palabras los sentimientos, sensaciones, emociones, percepciones que se desea transmitir. Dada la racionalidad humana, parece más sencillo expresar pensamientos o descripciones de carácter técnico o intelectual.

Todos estos elementos hacen que la estructura sintáctica del discurso esté compuesta por una serie de puntuaciones arbitrarias que no permiten traducir fielmente la construcción cognitiva a la sintaxis verbal. No obstante, si no actúan como componentes limitadores, estos mismos factores pueden llegar a incentivar la traducción fiel y la producción comunicativa, por ejemplo, en contextos de tranquilidad, buen clima afectivo, comodidad, en individuos que valoran al interlocutor, o que poseen amplios recursos retóricos, etc.

Por encima de la estructura sintáctica del mensaje que se intenta transmitir se encuentran los revestimientos semánticos a los que hacíamos referencia anteriormente. Son las atribuciones de significado con que se reviste el discurso. De la articulación de la sintaxis con la semántica resulta el sentido de la construcción. Lo que se comunica, entonces, es un relato. El emisor cuenta, a sí mismo y al otro, un cuento, una versión de los hechos, no los hechos en sí mismos; por tal razón, el lenguaje no responde a la concepción clásica representacional, es decir, no representa fidedignamente una realidad externa a los ojos: por el contrario, es el lenguaje el que se erige como constructor de realidades *ad hoc*.

Si lo que cuenta el emisor es una versión de los hechos, cabe preguntarse entonces: ¿qué es lo que escucha el receptor? El receptor *intenta escuchar*, pero su escucha se halla influida por su propia estructura cognitiva. Sobre la sintaxis del discurso del otro, es posible que se depositen creencias, valores, deseos, carencias, ideales, etc., y que se establezcan semánticas diferentes a las del emisor, o bien quizás en la misma sintaxis se puntúe de manera diferente, desvirtuando el verdadero significado del contenido enviado.

Ya hemos hecho referencia a que las puntuaciones de sintaxis dependen del trazado de distinciones que realicen los interlocutores. Las distinciones perceptivas son un fenómeno inherente a la cognición humana. En el libro *Laws of form* (1973), G. Spencer-Brown señala que cada vez que se percibe, se distingue, es decir, se trazan diferencias: se segmenta el universo cognitivo. La percepción, entonces, es el resultado de realizar diferencias, razón por la cual se puede describir lo que se observa. Este primer proceso nos lleva a la circularidad del acto de conocer: las distinciones que se establecen en la observación conllevan descripciones, que a su vez consisten en acentuar distinciones acerca de lo observado.

Realizamos distinciones a fin de poder observar (como acto de conocimiento) y las descripciones tienen como finalidad describir lo distinguido, ratificando las distinciones; de esta manera se establece un circuito sin fin. Tal como lo menciona B. Keeney (1983): «Esta operación recursiva de establecer distinciones en las distinciones vuelve a apuntar al mundo de la cibernética, donde la acción y la percepción, la descripción y la prescripción, la representación y la construcción, están entrelazadas».

Descripciones, adjetivaciones, calificaciones, categorizaciones, son distinciones que devienen de la estructura cognitiva tanto del emisor como del receptor y dan cuenta de su modelo de conocimiento, sus valores, sus creencias. Por supuesto, las distinciones no solamente se establecen sobre la sintaxis del mensaje, sino también —y tal vez fundamentalmente— sobre el lenguaje paraverbal, como veremos más adelante.

El receptor, por lo tanto, realizará una construcción de la construcción que intentó transmitir el emisor. En síntesis, el *feedback* del receptor es un cuento que se cuenta del cuento que contó el transmisor y que éste intentó transmitirle. En este sentido, el receptor no puede *decodificar* el mensaje, más bien lo que hace es codificarlo: otorgarle un sentido a partir de su propio sentido. Comprender el mensaje es interpretarlo de acuerdo a los parámetros particulares de las propias estructuras conceptuales.

En función de la estructura del mensaje, en lo verbal utilizamos dos formas lingüísticas que, en mayor o menor medida, intervienen en las alocuciones: analogías y literalizaciones. Las analogías, por ejemplo en forma de metáforas, *adornan* el discurso describiendo una cosa mediante otra, mientras que en las literalizaciones se digitalizan conductas, es decir, se explican en concreto, casi *tangiblemente*. Por ejemplo, un desajuste en el ritmo cardíaco puede explicarse en la primera como «Me late el corazón como una bomba»; en la segunda como «Tengo taquicardia y palpitaciones». En esta oscilación entre metáforas y literalizaciones deambula nuestro lenguaje verbal, de manera tal que nuestro interlocutor deberá entender cuándo aplicamos una metáfora, no vaya a ser que la tome en sentido literal y malinterprete lo que le intentamos transmitir.

Analizar el acto comunicativo desde los elementos verbales propiamente dichos es observar sólo un aspecto de la comunicación. Sin dejar de reconocer sus componentes bioquímicos, orgánicos, neurofisiológicos, así como la importancia de la transmisión verbal de la información, hay que tener en cuenta que el lenguaje paraverbal o analógico es, sin duda, el de mayor complejidad.

De manera paralela a la emisión del mensaje (véase el cuadro 2), las posturas y los movimientos del cuerpo, la gestualidad facial, las entonaciones y la cadencia del discurso confieren al mensaje intencionalidad y significado, acentuando o desvirtuando la semántica (y en ocasiones la sintaxis).

Por tanto, y con ánimo de aumentar la complejidad, no sólo se trata de *qué* se dice, sino también de *cómo* se dice, tal como apuntan algunos estudiosos de la comu-

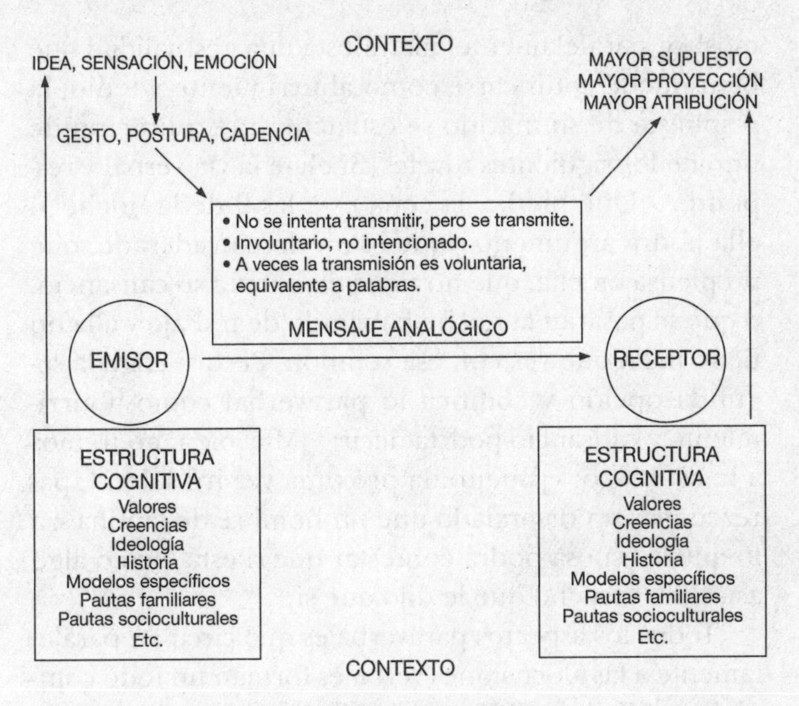

CUADRO 2. *Mensaje analógico*

nicación, en el libro *Teoría de la comunicación humana* (Watzlawick, Beavin y Jackson, 1967), cuando distinguen el contenido del mensaje y la forma en que se comunica tal contenido. Se creará un problema si el emisor no fue coherente en su envío; por ejemplo, si la forma en que emitió su mensaje es contradictoria con el contenido del mismo. Si el interlocutor responde al *cómo* del emisor y éste, en cambio, sin ser consciente de la contradicción en que incurre, remarca el *qué*, el primero podrá señalarle su grado de incongruencia en la respuesta, iniciándose así una escalada simétrica.

Si una esposa, ante la propuesta de su marido de ir a una cena con personal de su empresa, responde «¡Vamos!» y, paralelamente, manifiesta una gestualidad que bien puede codificarse como aburrimiento y tedio, la respuesta de su marido se estructurará en función de uno de los siguientes niveles. Si elige la vía verbal y responde «¡Qué bien... la cena es a las 9 de la noche!», ella podrá argumentar que es un desconsiderado, que no piensa en ella, que no tiene en cuenta su cansancio, o que se pasarán la noche hablando de trabajo y ella no tiene nada que ver con esa reunión. Pero si elige la segunda opción y codifica lo paraverbal como aburrimiento y cansancio podría decir: «¡Muy bien, no iremos a la cena!», o: «¡Bueno, la próxima vez iré solo...!, parezco más un divorciado que un hombre de familia»; a lo que la esposa podrá contestar que si está loco o algo así, si no escuchó que le dijo que sí...

Todos los aspectos paraverbales que circulan paralelamente a las alocuciones verbales forman un todo complejo y difícil de diferenciar. Mientras que el lenguaje verbal puede ser dirigido,[1] el paraverbal es espontáneo y escapa al control de la voluntad. Cuando el emisor se manifiesta mediante la palabra, coloca el énfasis, y su propio pensamiento, en lo que está diciendo. No intenta transmitir mediante el lenguaje paraverbal pero, indefectiblemente, transmite. Este lenguaje es involuntario y espontáneo; a través de él es imposible mentir, a menos que se ejercite cierto tipo de gestualidad que se proponga como reemplazo de cualquier alocución verbal. O sea, el lenguaje paraverbal se transforma en voluntario cuando se configura como respuesta en lugar

1. En cierta medida, el lenguaje verbal puede escapar también al control de la mente, a través de lo que Freud llamó «actos fallidos». La persona modifica términos, cambia una palabra por otra, condensa palabras, etc., acciones que no tenía previstas.

de la palabra; por ejemplo, un gesto de fruncir los labios, o *labios en forma de herradura* (expresando desagrado), ante una propuesta que el interlocutor rechaza. No obstante, este tipo de respuesta también puede ser involuntario y no mediar la voluntad de expresarla.

El lenguaje analógico condensa, en un simple gesto, una vasta estructura verbal. Contrariamente al lenguaje verbal, es una vía más directa en la traducción de sensaciones y emociones, pero ofrece mayores dificultades a la hora de expresar pensamientos. Emociones y sensaciones como la alegría, la tristeza, el enojo, la rabia, el placer, etc., son claras expresiones gestuales. Pero, a diferencia del lenguaje verbal, que está codificado y posee ciertas reglas para consolidar su estructura, el lenguaje analógico es anárquico y no describe una simbología de primer orden que determine los gestos apropiados para cada forma de expresión.

Los gestos dependen de las interpretaciones de los interlocutores. Es decir, son siempre conceptualizaciones de segundo orden. El típico gesto de fruncir el ceño puede interpretarse de muy diversas formas: como expresión de cansancio, de enojo o de aburrimiento, como dolor de cabeza o de estómago, como dificultades en la visión, etc.; ¿quién puede decir, entonces, cuál es el código correcto para dicho gesto? Tal código solamente se puede estructurar (en cierta medida) a través del acuerdo entre comunicadores. A medida que la variable «tiempo» les permite conocerse, adecuarse y organizarse en la codificación de gestualidades, cadencias, posturas, etc., el interlocutor se irá acercando a la interpretación correcta del código analógico de su compañero. No obstante, esto también trae complicaciones, dado que si confían en que la codificación es precisa, darán contenidos por sobreentendidos sin metacomunicar.

La recursividad de la interacción en el tiempo entre comunicadores hace que cada uno sea más *transparente* para el otro. Pero esta transparencia está limitada por las proyecciones de los interlocutores. Proyecciones y transparencias participan en un doble juego de complementariedades. Cuanto más elocuente sea la gestualidad, o sea, cuanto más claramente explicite su significación (o el mensaje que se intenta transmitir, voluntariamente o no) y menor margen deje para la duda, menos proyecciones se depositarán sobre el lenguaje analógico. Inversamente, cuanto más ambivalente sea el gesto, o más ligado esté a la micromotricidad sutil, mayor es la posibilidad de proyección en la interpretación.

Las proyecciones toman forma en los *supuestos*, que conforman parte del mapa de la realidad que construye cada interlocutor. Como explicamos con anterioridad, los códigos familiares, la escala de valores, las pautas y normas de conducta y el sistema de creencias de la estructura cognitiva, llevan a atribuir marcos semánticos a la comunicación. Palabra y gesto se encuentran revestidos de significaciones particulares que no sólo impregnan nuestra alocución, sino también la recepción.

Los *supuestos* no son ni más ni menos que las categorizaciones y adjetivaciones con que agrupamos objetos, sujetos, situaciones, hechos, etc., las cuales podrían denominarse asimismo distinciones perceptivas, de las que ya hemos hablado antes. Cognitivamente, una categoría, clase o tipología es una abstracción organizadora de distinciones, que categoriza la descripción de una serie de gestos, acciones o verbalizaciones, identificándolas bajo un nombre.

Las categorizaciones forman parte del trazado de distinciones. Constituyen una especie de libreto interno en el que se esboza un trazado del universo y lo cargan de significación. Cabría preguntarse, en cuanto al proceso de construcción de la realidad, bajo qué patrones traza distinciones el observador en su acto perceptivo. Estos patrones están mediatizados por su estructura cognitiva, por tanto, dan cuenta de su epistemología.

El antropólogo Gregory Bateson, en su obra *Espíritu y naturaleza* (1979), define dos niveles lógicos de distinciones: las descripciones puras y las categorizaciones, también denominadas clasificaciones de forma. Ambos niveles conllevan distintos órdenes de recursividad, que van de menor a mayor complejidad, en los que se diferencian las acciones simples de las interacciones, hasta llegar a las *coreografías* como el nivel más complejo.

Las clasificaciones de forma son las categorizaciones que se les atribuye a las acciones simples. Es la calificación que se le adjudica a una acción determinada, la cual en la medida en que obtenga respuesta del interlocutor y que alcance mayor complejidad, pasará a ser clasificada como interacción o coreografía.

Cuando se refiere a la descripción del proceso comunicativo, implica la observación *pura* de las acciones propiamente dichas. O sea, sin marcos semánticos que la integren en una denominación y, por consiguiente, sin atribuciones de significado. Corresponde a las acciones simples, aisladas (si es posible hablar de acciones aisladas), por ejemplo, gestos, movimientos, tonos de voz, expresiones, palabras, frases, etc. Esta distinción que realiza Bateson es de orden epistemológico. Aunque, en el ámbito pragmático del desenvolvimiento de conductas, las descripciones puras de acciones sin atribuciones de segundo orden son una utopía. En la mayoría de las relaciones humanas, ante una acción simple interviene inmediatamente un complejo proceso de abstracciones que lleva a tipificarla (por ejemplo, me masajeo la sien y mi interlocutor probablemente categoriza la acción como cansancio, dolor de cabeza, fastidio, etc.).

Esta categorización que realizan las personas sobre las acciones es una de las muchas formas de establecer distinciones y constituye una de las bases que permite establecer códigos de interacción. Las atribuciones de significado sobre las acciones se derivan de las clasificaciones de forma. El lenguaje de los gestos y determinadas expresiones verbales, así como algunos sonidos guturales, son el mayor blanco de las categorizaciones, que si no se metacomunican corren el riesgo de convertirse en bellísimas y catastróficas profecías de autocumplimiento.

La proyección semántica es, desde esta perspectiva, el resultado de una abstracción que categoriza en función de una observación subjetiva y autorreferencial. Con lo cual son pocas las oportunidades en que nos encontramos con una realidad de primer orden, donde incluiríamos todas las descripciones del proceso de acciones. Las tipologías de forma son construcciones cargadas de atribuciones de significado, patrimonio de una realidad de segundo orden.

Por lo tanto, cada tipología lleva una semántica implícita. De ahí que haya actitudes del otro que tengan mayor o menor relevancia, pero no en sí mismas, sino para el sistema de creencias del interlocutor. El «Yo supongo», como señalamos anteriormente, es uno de los bastiones de la confusión comunicacional y se proyecta, principalmente, en la gestualidad del otro.

A un gesto o una postura corporal, por ejemplo, se les aplicará una categorización inmediata (que se constituye en evidencia clara para el interlocutor), la cual desencadenará las posteriores reacciones emocionales, acciones y reflexiones en un efecto dominó. En síntesis, un repertorio de acciones acordes con nuestro supuesto inicial. Por esta razón es posible que el otro, frente a nuestra conducta, termine construyendo la realidad que habíamos supuesto. En la comunicación humana, este juego, como ya hemos apuntado anteriormente, se denomina profecías de autocumplimiento: si supongo algo sobre el otro, actúo de acuerdo a esa presunción y termino por confirmar en la pragmática tal suposición cognitiva. Pocas son las oportunidades en que traducimos nuestro supuesto a pregunta, o al menos a una pregunta directa que inquiera sobre el gesto. Y de esto se trata, de metacomunicar.

Metacomunicar implica codificar correctamente lo que se recibe o lo que se ha intentado transmitir, acrecentando así la posibilidad de diálogo claro. Campanini y Luppi (1991) señalan:

> Este último uso del lenguaje es de nivel lógico más elevado con respecto a su uso en el intercambio de contenidos y se puede definir como metacomunicación por cuanto es una comunicación sobre la comunicación. Para poder comunicar no es importante que los comunicantes sean siempre perfectamente conscientes de las reglas (el niño aprende a hablar sin conocer la gramática y la sintaxis), pero es fundamental que sobre esas reglas se

puedan hacer afirmaciones y comentarios que se consideren legítimos y, en consecuencia, provistos de significado.

En la metacomunicación, se trata de entender qué construcciones cognitivas posee nuestro interlocutor mediante lo que intenta traducir en palabras. Cuando el interlocutor dice algo, lo que se recepciona pasa por el tamiz de la estructura conceptual. No escuchamos lo que el otro dice literalmente, sino lo que construimos a partir de lo que dice (con nuestras atribuciones e inferencias).

A la hora de construir algo sobre lo que el otro nos transmite utilizamos diferentes vías. Las reacciones emocionales, los afectos y las acciones que se desarrollan en la interacción son algunos de los medios que permiten realizar una construcción de lo que el otro emite. Para comprender el mensaje del otro es importante conocer su sistema de creencias, su modelo de conocimiento y el universo de significados que de éste emerge. Esto permite decodificar de manera clara el mensaje. No obstante, este proceso no nos asegura la fidelidad en la recepción. Cuando nos hallamos implicados emocional y afectivamente, las propias emociones pueden turbar tanto la emisión como la recepción. No quiere esto decir que no se comprenda el mensaje, sino que *no se desea* entenderlo y, por consiguiente, se anteponen deseos propios a fin de cubrir fantasiosamente carencias o anhelos personales.

La comunicación clara combina equilibradamente el lenguaje verbal y el paraverbal. Fuentes de conflicto son, por ejemplo, las afirmaciones que se emiten con una gestualidad y una cadencia ambivalente, o los elogios como críticas descalificadoras, o cuando se señalan los aspectos positivos de una situación mediante expresiones irónicas. La secuencia continúa y se complica cuando la respuesta del otro se dirige a lo paraverbal y el emisor, desorientado, pregunta enojado: «¿Por qué me contestas de esa manera?», desencadenando así una discusión en la que cada uno intenta imponerse al otro como dueño de la verdad y la razón.

En este mismo sentido, las puntuaciones sintácticas que se establecen en la secuencia verbal, conjuntamente con la cadencia y la entonación, producen un efecto que desvirtúa la esencia del mensaje. Afirmaciones que suenan como meros signos de interrogación, admiraciones con cadencia agresiva, puntos seguidos donde deben colocarse comas, etc., hacen girar a veces en 180 grados la significación de la frase.

Desde esta perspectiva, parece que el hecho de lograr comunicarnos resulta casi mágico, y no nos hallamos muy lejos de esta afirmación No obstante, las sucesivas interacciones en el tiempo posibilitan que los integrantes del sistema comunicacional se conozcan en sus particularidades, construyan y aprendan un código de comunicación que los rija, razón por la cual comienzan a entender las atribuciones de significado de los mensajes del *partenaire*, el lenguaje gestual, las actitudes, etc. La variable «tiempo» es la que, en alguna parte de este análisis, utilizamos para establecer cierto tipo de sistematización en el acto comunicativo. Sistematización que conllevaría el conocimiento de algunas de las estructuras conceptuales del interlocutor, con objeto de facilitar y agilizar la comunicación, evitando así la metacomunicación, dado el grado de asertividad en la codificación. La interacción genera un tipo de relación con cierta definición de roles. Se conocen, por tanto, en ambos *partenaires* comunicacionales, las formas y estilo de las expresiones, la sintaxis, las cadencias, las gestualidades, etc. Estos conocimientos tácitos o explícitos implican acercarse no sólo a la codificación correcta, sino a la forma en que se debe transmitir. *¡Voilà, se ha creado un código!*

No obstante, tal sistematización y la creación de códigos pueden llegar a tensar la forma de comunicación hasta anquilosarla. Los roles se hallan tan estructurados en una complementariedad rígida que, por ejemplo, los interlocutores, al transmitir cada información, hacen menos esfuerzos por codificar adecuadamente el contenido y por transmitir de manera idónea. Uno de los elementos que sustentan las escaladas simétricas es dar por sentado que el otro comprende el contenido de lo que se transmite; entre tanto, en la recepción se realizan menos preguntas de cara a comprender con claridad el mensaje y se establecen mayores niveles de suposición, con lo cual no es posible mantener un diálogo equilibrado.

Los riesgos que conlleva sistematizar la comunicación darán como resultado diferentes juegos relacionales, como triangulaciones, alianzas, coaliciones, complementariedades rígidas, escaladas y otras tantas disfuncionalidades, que pueden culminar en comportamientos psicopatológicos (véase el cuadro 3).

Son numerosas las oportunidades en que el receptor escucha en el mensaje del interlocutor lo que él desea escuchar, perdiendo de esta manera lo que el otro intentó transmitir. En este proceso se da preeminencia a los deseos y expectativas de respuesta propios. No se escucha al interlocutor, sino al fantasma de respuesta

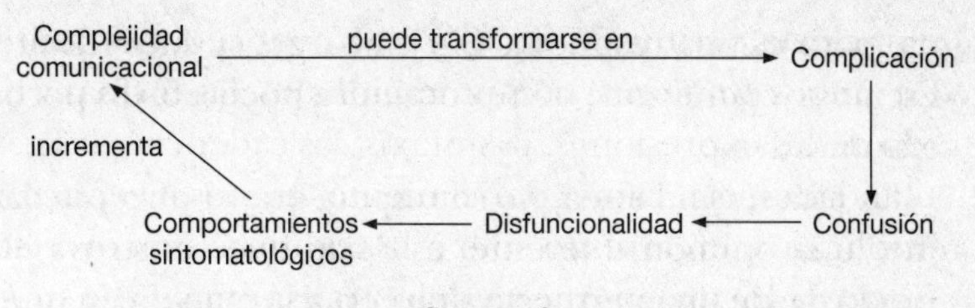

CUADRO 3

ideal que se construye en el diálogo. No es una díada, entonces, la que conversa, sino un trío: dos personas reales y un fantasma. Y no son pocas las oportunidades en que, en la experiencia, se colocan terceros ideales de respuesta.

Es evidente que, una vez que la idealización se fractura, el resultado ineludible será el enfado, la frustración y la angustia, ya que a esas alturas del juego relacional se han construido sendos circuitos recursivos, caóticos y autodestructores.

Es moneda corriente que los *partenaires* comunicacionales obtengan recíprocamente diferentes *feedbacks* que se alejan de la aceptación y se acercan más al rechazo, la descalificación, hasta llegar a la desconfirmación. Mientras el otro acepte nuestra comunicación, no habrá conflicto. El problema se genera cuando aparece el rechazo, y más cuando nuestros comportamientos son descalificados, o sea, rechazados de una manera peyorativa. La expresión extrema de estas comunicaciones disfuncionales es la desconfirmación, en la que no sólo se rechaza la comunicación de un interlocutor, sino hasta su presencia.

Tampoco se suele entender que los silencios también son una manera de intervenir y tienen efecto en la comunicación. El silencio es una respuesta a veces ambigua, pero es una respuesta. Sin embargo, se suele decir: «Ése no se comunica», o «Se comunica poco», o «Es poco comunicativo».

En esta misma línea, no se respeta que el otro pueda tener una opinión diferente, es decir, que construya el mundo desde una perspectiva diversa a la manera en que lo construye el interlocutor. Por lo general, los comunicadores están habituados a imputar: «¡Estás equivocado!», erigiéndose en dueños de la verdad. Cada vez que surge la afirmación «No tienes razón», en realidad lo que se está objetando es que el otro no piensa como yo pienso.

Por lo tanto, no se puede hablar de *la realidad que nos toca vivir*, sino de *la realidad que construimos*. La vida transcurre en la comunicación, y en función de cómo se la conduce se crearán realidades catastróficas o realidades de bienestar; sin embargo, no sólo se construye una realidad, sino que además se la externaliza atribuyendo al destino el resultado de los hechos. Entender que la emisión y recepción de un mensaje depende de múltiples variables nos lleva a abandonar la ingenua idea de que la comunicación es un fenómeno simple. Involucrarnos en el circuito de la comunicación, comprendiendo que son nuestras reacciones las que influyen en las respuestas y que somos influidos, implica responsabilizarnos de que somos nosotros y nada más que nosotros los que construimos las pequeñas y grandes realidades de la vida cotidiana. Sin embargo, lejos nos hallamos de haber asumido esta responsabilidad.

En la génesis de los problemas humanos se encuentran muchas de las trampas comunicacionales a las que hemos hecho referencia anteriormente. Aunque uno de los elementos primordiales en la constitución de los problemas es el fracaso a la hora de intentar resolver las dificultades. La diferencia entre dificultad y problema es una de las primeras distinciones que los comunicacionalistas de Palo Alto han desarrollado en el modelo de la Terapia Breve Sistémica (*Brief Therapy*). Las dificultades son los obstáculos que surgen y que, en el proceso evolutivo, suelen ser superados mediante la aplicación de tácticas de resolución que han resultado efectivas en experiencias anteriores.

El problema se desencadena o, más exactamente, una dificultad se transforma en problema cuando los intentos por resolverla resultan ineficaces. A medida que las soluciones intentadas fracasan, el problema se instaura cada vez más sólidamente en el sistema, involucrando a todos los integrantes. Más aún cuando para resolverlo se aplica la lógica racional, y especialmente cuando ésta no se puede aplicar a un campo en el que la racionalidad coexiste con las emociones. No cabe duda de que *somos en la comunicación* y, precisamente, el hecho de decir «Soy» implica la distinción respecto a *otro*, es decir, la constitución de la identidad individual no puede entenderse como un proceso del individuo, sino de éste en relación con otros. Tal versa una frase del Talmud:

> Yo soy yo y tú eres tú
> Tú eres tú y yo soy yo
> Entonces, ni tú eres tú
> Ni yo soy yo
> Yo soy yo porque tú eres tú
> Y tú eres tú porque yo soy yo
> Entonces, yo soy yo
> Y tú eres tú.

Capítulo 6

CONDICIONES BÁSICAS PARA LA BUENA COMUNICACIÓN

1. Abandone la creencia de que solamente se puede comunicar con la palabra: *toda conducta es comunicación.*

2. Por lo tanto, *es imposible no comunicar.* Haga lo que haga cuando está con otra persona, estará comunicando.

3. Se debe entender que incluso el *silencio* es una respuesta.

4. Los gestos, posturas corporales y movimientos que tanto usted como sus interlocutores realicen, son estímulos o respuestas a la hora de comunicar.

5. *No actúe de acuerdo con lo que supone que el otro dijo o hizo.* Corre el riesgo de lanzar una bola de nieve cuya trayectoria puede resultar imparable.

6. Cuando observe el gesto de la pequeña herradura entre las cejas y la frente arrugada, antes de pensar que el otro se siente molesto con usted, pregúntele si es así o si, por ejemplo, le duele el estómago.

7. Si escuchó una palabra con una *entonación ambivalente* —esas expresiones irónicas y sutiles en las que

uno no sabe si es calificado como un genio o como un estúpido—, siempre, siempre pregunte en qué sentido deberá interpretarla.

8. En cualquiera de las formas en que se exprese su interlocutor, si tiene dudas sobre el significado, tome como regla: *antes de suponer pregúntele al otro* acerca de su supuesto, o simplemente qué es lo que quiso decir.

9. En cualquier diálogo la pregunta es un elemento básico, por lo tanto, es importante evitar los sobreentendidos.

10. Cuando no entienda lo que intenta comunicar el otro, no lo deje pasar, ni se inhiba: *metacomunique*, es decir, aclare cuantas veces sea necesario.

11. *No trate de depositar las culpas* en su *partenaire.* Es muy importante que entienda que cualquiera de sus comportamientos influye en su interlocutor, por lo que ante cualquier problema con él, usted será coproductor del mismo.

12. Por lo tanto, *trate de no ver la paja en el ojo ajeno* y reflexione preguntándose qué hizo usted para colaborar en la reacción de su interlocutor.

13. ¿Quién nos hizo creer que somos dueños de la verdad? Cuando le imputamos al otro que está equivocado, en realidad le estamos diciendo que no piensa como nosotros. El *respeto* hacia la persona del interlocutor y a su mensaje es esencial para la buena comunicación.

14. Cada vez que hablamos no sólo transmitimos un mensaje, sino que *enunciamos nuestro modelo de pensamiento, nuestras creencias y nuestros valores.*

15. Uno de los elementos más valiosos para una comunicación funcional es tener *buena predisposición* tanto para escuchar como para transmitir.

16. La buena comunicación se sustenta no sólo sobre la base de la claridad del mensaje en contenido y forma de expresarlo, sino también en la *buena relación* de los comunicadores.

17. Ser respetuosos con lo que se nos comunica y en lo que comunicamos implica fundamentalmente respetar la *libertad de expresión* del interlocutor, siempre que éste no propase nuestra propia libertad.

18. En las relaciones más cercanas, es importante reforzar los lazos afectivos en la comunicación, puesto que *la comunicación también es esencialmente afecto.* Con las palabras y los gestos se transmiten, además de información, emociones y sentimientos.

19. Para favorecer el entendimiento claro del significado del mensaje del otro es de gran utilidad *colocarnos en el lugar del otro*, es decir, enmarcar lo que el otro nos dice en su ideología, modelo de pensamiento, historia, creencias y valores personales.

20. Si *la comunicación es afecto*, en el diálogo con las personas a las que nos une el amor es necesario evitar inhibiciones y mirarse, tocarse, reconocerse, escuchar en el sentido más profundo de la expresión.

21. No se deben evitar ciertos temas que circulan de forma tácita; es preciso atreverse a hacerlos explícitos.

22. Cuando uno está comunicando debe focalizar la atención en el interlocutor y en la conversación, es decir, debe centrarse en el tema, en el interlocutor, y evitar las dispersiones contextuales.

23. Hay que *escuchar al otro* sin el deseo de que el otro diga lo que yo deseo escuchar.

24. Escuchar al interlocutor *sin la necesidad de responder algo.* O sea, liberarse del automatismo de tener

siempre que dar una respuesta acerca de lo que el otro dice.

25. Al escuchar, es importante no interrumpir el discurso del otro creyendo que lo que falta ya se conoce.

BIBLIOGRAFÍA

Andolfi, M., *La terapia con la famiglia*, Roma, Astrolabio Ubaldini, 1977 (trad. cast.: *Terapia familiar*, Barcelona, Paidós, 1984).

Bateson, G., *Step to an Ecology of Mind*, Nueva York, Ballantines Books, 1972 (trad. cast.: *Pasos hacia una ecología de la mente*, Buenos Aires, Carlos Lohlé, 1976).

Bateson, G. y Ruesch, J., *Communication. The Social Matrix of Psychiatry*, Nueva York, Norton & Company, 1968 (trad. cast.: *Comunicación: la matriz social de la psiquiatría*, Barcelona, Paidós, 1984).

Bateson, G., Jackson, D., Haley, J. y Weakland, J., «Toward a Theory of Schizophrenia», *Behavioral Science*, n° 1.

Campanini, A. y Luppi, F., «Conceptos introductorios de la óptica sistémica», en *Servicio social y modelo sistémico*, Barcelona, Paidós, 1991.

Cancrini, L., *La Psicoterapia: Grammatica e sintassi. Manuale per l'insegnamento della psicoterapia*, Roma, Nuova Italia Scientifica, 1987 (trad. cast.: *La psicoterapia: gramática y sintaxis*, Barcelona, Paidós, 1991).

Ceberio, M. R. y Watzlawick, P., *La construcción del universo*, Barcelona, Herder, 1998.

Elkaïm, M., *Si tu m'aimes, ne m'aime pas*, París, Seuil, 1989 (trad. cast.: *Si me amas, no me ames*, Barcelona, Gedisa, 1990).

Haley, J., *Uncommon Therapy: The psychiatric techniques of Milton Erickson*, Nueva York, M. D. Norton, 1973 (trad. cast.: *Terapia no convencional: las técnicas psiquiátricas de Milton Erickson*, Buenos Aires, Amorrortu, 1980).

Hoffman, L., *Fundamentos de la terapia familiar*, México, Fondo de Cultura Económica, 1987.

Jackson, D. (comp.), *Communication, Family, and Marriage*, California, Science and Behavior Books, 1968 (trad. cast.: *Comunicación, familia y matrimonio*, Buenos Aires, Nueva Visión, 1984).

Keeney, B., *Aesthetic of Change*, Nueva York, The Guilford Press, 1983 (trad. cast.: *Estética del cambio*, Barcelona, Paidós, 1988).

Laing, R., *The Self and Other. Further Studies in Sanity and Madness*, Londres, Tavistock, 1961 (trad. cast.: *El yo y los otros*, México, Fondo de Cultura Económica, 1974).

Maturana, H., *Amor y juego. Fundamentos olvidados de lo humano*, Chile, Instituto de Terapia Cognitiva, 1994.

Minuchin, S., *Familias y terapia familiar*, Barcelona, Gedisa, 1982.

Morin, E., *Ciencia con consciencia*, Barcelona, Anthropos, 1984.

Nardone, G. y Watzlawick, P., *El arte del cambio*, Barcelona, Herder, 1992.

Onnis, L., *La palabra del cuerpo*, Barcelona, Herder, 1997.

Saussure, F. de, *Curso de lingüística general*, Barcelona, Planeta, 1984.

Simon, F., Stierlin, H. y Wynne, L., *The Language of Family Therapy*, Stuttgart, Ernest Kett Verlag, 1984 (trad. cast.: *Vocabulario de terapia familiar*, Barcelona, Gedisa, 1993).

Spencer-Brown, G., *Laws of form*, Nueva York, Bantam Books, 1973.

Vico, G., *De Antiquissima Italorum Sapientia*, Nápoles, Stampa de Classici Latini, 1958 (trad. cast.: *Sabiduría primitiva de los italianos*, Buenos Aires, Instituto de Filosofía, 1939).

Von Bertalanffy, L., *General System Theory: Foundations, Development, Applications*, Nueva York, George Braziller, 1968 (trad. cast.: *Teoría general de los sistemas*, México, Fondo de Cultura Económica, 1988).

Von Foerster, H., «La construcción de la realidad», en Watzlawick, P., *La realidad inventada*, Barcelona, Gedisa, 1988.

—, «Visión y conocimiento: disfunciones de 2° orden», en Schnitman, D. (comp.), *Nuevos paradigmas, cultura y subjetividad*, Buenos Aires, Paidós, 1995.

Von Glasersfeld, E., «Introducción al constructivismo radical», en Watzlawick, P., *La realidad inventada*, Barcelona, Gedisa, 1988.

—, «La construcción del conocimiento», en Schnitman, D. (comp.), *Nuevos paradigmas, cultura y subjetividad*, Buenos Aires, Paidós, 1994.

Watzlawick, P., *El lenguaje del cambio*, Barcelona, Herder, 1980.

—, *La realidad inventada*, Barcelona, Gedisa, 1988.

—, *La coleta del barón Munchhausen*, Barcelona, Herder, 1992.

Watzlawick, P., Beavin, J. y Jackson, D., *Pragmatics of Human Communication*, Nueva York, Norton, 1967 (trad. cast.: *Teoría de la comunicación humana*, Barcelona, Herder, 1981).